Behind The Berkshire Hathaway Curtain

巴菲特的幕后智囊团

陈惠仁◎著／译

中信出版社
CHINA CITIC PRESS

图书在版编目（CIP）数据

巴菲特的幕后智囊团／陈惠仁著、译. —北京：中信出版社，2010.11

书名原文：Behind the Berkshire Hathaway Curtain: Lessons from Warren Buffett's Top Business Leaders

ISBN 978-7-5086-2411-2

I. 巴… II. 陈… III. 企业管理－经验－美国 IV. F279.712.3

中国版本图书馆 CIP 数据核字（2010）第 195536 号

Behind the Berkshire Hathaway Curtain: Lessons from Warren Buffett's Top Business Leaders By Ronald W. Chan

Published by John Wiley Sons, Inc., Hoboken, New Jersey.

巴菲特的幕后智囊团

BAFEITE DE MUHOU ZHINANGTUAN

著 者：陈惠仁

译 者：陈惠仁

策划推广：中信出版社（China CITIC Press）

出版发行：中信出版集团股份有限公司（北京市朝阳区惠新东街甲4号富盛大厦2座 邮编 100029）

（CITIC Publishing Group）

承 印 者：北京京师印务有限公司

开 本：880mm × 1230mm 1/32　印 张：9　字 数：84千字

版 次：2010年11月第1版　印 次：2010年11月第1次印刷

京权图字：01–2010–5769

书 号：ISBN 978-7-5086-2411-2/ F · 2126

定 价：32.00元

服务热线：010-84849283

服务传真：010-84849000

http: //www.publish.citic.com

E-mail: sales@citicpub.com

author@citicpub.com

献给我的父亲，他一直鼓励我追寻梦想，放眼世界。

這是一本描寫管理者如何帶領團隊、實現夢想的書。能幫助有夢想的人成就夢想。

王傳福

比亚迪股份有限公司董事局主席兼总裁　王传福

若永不作尝试，就永远不知道成功在等待你。

——陈惠仁

目录

第九章

向沃尔特 · 斯科特学习适应能力——中美能源控股公司

第十章

巴菲特的商业智囊团

温斯顿·丘吉尔爵士

成功不是终点，失败也并非末日。最重要的，是具备勇气，一直前行。

探求成功路途的阶梯

我跟这陈惠仁先生并不认识，可是他跟我的孙儿郑志刚却是很合得来的好朋友。作者通过志刚把从他精心创作并已出版的畅销英文原著《Behind the Berkshire Hathaway Curtain: Lessons from Warren Buffett's Top Business Leaders》繁体中文版的新书送给我。

巴菲特的大名和书名引起了我的注意。起初我在阅读这本书的时候，从书里的前言了解到作者的家庭、求学、就业、事业发展和他本身的才能和抱负，这吸引我进而深入阅读。他与伯克希尔企业旗下的各公司高管的恳切交谈，及受访者成功的亲身体验，引发了我很大的同感与共鸣。

这是一本很适合各界人士阅读的书。作者凭着丰富的金融及会计专业学识和经验，得到美国著名投资大师沃伦·巴菲特的允许和推荐，访问了巴菲特旗下伯克希尔企业中十位高管和董事会成员。通过作者优美和亲切的描述，展现了伯克希尔企业旗下不同领导人的人生际遇，展示出每个人在商业中获得成功的经历，以及成功背后的个人因素。

每一个成功人物或是杰出的领袖除了具备个人的基本学识和修养之外，怎样能够凭借自身的信念在竞争激烈的社会里建功立业呢？努力不懈固然重要，而受访者所披露的个人因素更是非常值得我们一再思考。书中总结出的个人特质和平素修养，如正直、谦逊、热忱、乐观、自律等等，看来像老生常谈，却是书中受访人物踏进成功路途的阶梯，都是值得我们学习的实例。

现在，原著的简体中文版即将出版了，我愿意把这本书推介给全球的华裔青年及各大院校的学生。这本书附有名人嘉言隽语，发人深省，极富警醒和自励指引的味道。对于想转换工作或决心进入社会力闯天下的年轻人具有很好的鼓舞作用。

香港新世界发展有限公司

香港周大福珠宝金行有限公司

主席 郑裕彤

追寻伯克希尔的幕后精英

执笔撰写此书时，我正步入而立之年。回顾过去，我非常满意自己的人生。作为香港人，我算幸运，能在一个安定繁荣的社会中成长，之后又远赴美国留学深造，毕业后更能找到一份自己很喜爱的工作。在三十而立之时，我以所学到的知识和人生经验，实践了一些人生初期的目标。这确实令我感到欣慰。

在大学时期，我对股票交易产生了浓厚的兴趣。起初，我只打算赚些零用钱，将所学知识运用到股票交易中，分析不同行业的股票。通过细心挑选并耐心地观察投资表现后，我发觉最大的满足感并非金钱上的回报，而是那份正确判断投资决定带来的喜悦之情。

2002年，我在纽约大学的金融及会计学系毕业后，决定选择追随自己的梦想，为投资事业打好基础。次年，我创立了一家合伙公司，开始全职投入证券分析及投资业务。

尽管一般人认为，大学毕业生理应按部就班，在社会上获得工作经验后再自行创业，但我的父亲却全力支持我开办公司。他相信，学习成为投资者是最宝贵的历练，所以若在年轻时就能得此体验，相信必定能终身受用。我父亲经常勉励我，只要我能保持头脑清晰，作出理智决策，相信自己的决定，我最终必会做出令人刮目相看的好成绩。在某种程度上，他比我更相信我自己的能力。

开业初期，我并不奢望创造卓越佳绩，只希望建立一个稳固的投资组合，希望带来长远的可观回报，从而证明自己的实力。在此方面，我发觉自己的投资经营技巧跟沃伦·巴菲特的投资理念非常接近。

与巴菲特亦师亦友的本杰明·格雷厄姆说过，有价值的投资是“建立在全面分析的基础上，既能保本，又有合理回报”。巴菲特深化此定义说：“如果你能细心计算出股票的价值，在低于这一价值下买入它们，这就是‘投资’。若你只在意短时间内对股票进行低买高卖的操作，那么这只能称为‘投机’。”

深入理解巴菲特的投资哲学后，我认为价值投资的概念非常正确，至此我便决定依循这一原则继续经营我的投资业务。

为了强化我的投资理念，我在2003年第一次到访内布拉斯加州的奥马哈市，参加在当地举行的伯克希尔·哈撒韦公司的（Berkshire Hathaway）年度大会，希望借此机会加深对投资的理解。在会上，我发觉巴菲特及他的合伙人查理·芒格（Charlie Munger）不是纯粹讨论生意运营及投资之道，他们亦不时谈到人生哲理的话题。

当时作为一个渴望实现理想的小伙子，我被他们的思维及言论深深打动了。我注意到巴菲特和芒格不单表现出价值为本的思维模式，更显示出清晰的思维及良好的品德。最后我了解到，当一个人的品质提升时，他的投资意识亦会正面地得到提升。

2003 年以后，每当我与同辈朋友谈到人生经验及未来的前途时，他们大部分对于自己的事业方向并不确定，亦不清楚自己对人生有何寄望。

到了2007年底及2008年，金融危机冲击着全球。我的朋友们对于个人及事业的前途感到非常沮丧，坦白说我亦有点犹疑不定，但却保持积极和自信。在那时，我脑海中出现了一个想法：那些成功人士究竟是如何跨过他们事业的最初阶段的？若请他们分享经商及人生的经验，那将会是一些什么样的故事？

这个想法在我的脑海中重复，逐渐变得成熟，最后我便付诸行动，计划出版这本访谈录。我希望同侪及其他专家能借鉴受访者的经验，以它们作为事业发展的蓝图。

计划行出了第一步后，我决定以伯克希尔·哈撒韦公司作为访问对象，原因是这家企业覆盖了简单易明的业务，包括鞋业、家具、糖果、建材、能源，以至报业。此外，伯克希尔·哈撒韦公司的管理者对他们的工作充满热忱，虽然他们来自社会的不同阶层，但却都能够在自己的行业内获得最大的喜悦和满足。以他们为学习对象，我相信必定能增强读者的生活智慧和营商经验。

坐言起行，我于2008年底写信给巴菲特，向他解释我撰写此书的目的。我亦跟他说，我并不希望借他的名气来谋取利润，所以，我于此书上所获得的收益将捐给慈善机构用于教育事业。

正如巴菲特的行事作风，他亲笔给我回信说：“我没有反对的理由！”于是，我便开始如履薄冰地逐一联络伯克希尔·哈撒韦公司的高管，起初他们的回复令我感到气馁，但我锲而不舍的精神最终打动了他们，令我最终能对这些成功人士进行访问。

2009年，我走访了9位伯克希尔·哈撒韦公司的高管。完成了所有访问后，我察觉到他们各自有不同的经营才干及长处，这些都是我们值得学习的。例如：贾斯汀品牌（Justin Brands）的兰迪·沃森（Randy Watson）谈到团队合作的重要性；中美能源控股（MidAmerican Energy Holdings）的戴维·索科尔（David Sokol）论述自律的概念等。

本书的主角都是伯克希尔·哈撒韦幕后的精英。从了解他们的事业成长过程中，我找出了他们处世的技巧及专业才能的发展路线。本书不像其他与巴菲特有关的书籍，为读者提供投资建议，但它却带出了另一类信息——人生究竟是什么？它代表什么，或应该是什么？

陈惠仁 (Ronald W. Chan)

2010年7月

BEHIND THE BERKSHIRE HATHAWAY CURTAIN

第一章

与凯西·巴伦-塔马兹探索充满冒险的人生——美国商业资讯

海伦·凯勒

人生，就是一场大胆的冒险。

凯西·巴伦–塔马兹（Cathy Baron-Tamraz）现身为伯克希尔·哈撒韦公司的总裁兼首席执行官，是少数女性高管之一。在很多人眼中，凯西是一位勤奋、果断而友善的首席执行官。与她在曼哈顿总部的会面，让我们有机会近距离发掘她的其他特质及了解她事业上的种种经历。

1953年在美国纽约市长岛近郊出生的凯西，成长于一个中产家庭。父亲默里·巴伦是一位工程师，为人严肃，做事循规蹈矩，母亲莉莲是一位家庭主妇，说话语气温柔，待人随和。凯西认为她同时遗传了父母的性格："我受母亲的影响，对人亲切、关心，而父亲则教导我处世的技巧及做人的原则。"

凯西的父母绝不会用"懒惰"去形容女儿。当凯西在长岛的米尼奥拉公立中学上学时，她已经在体育及学业上崭露头角。天生有一股冒险及探索精神的她经常作不同的尝试。她认为，人生经历应该丰富多彩，这样才能增强创造力。

高中毕业后，凯西收拾了简单行装便踏上了美国跨州之旅，体验及寻找自己的兴趣。旅程结束后，她进入纽约州立大学继续学业。她最初是想主修精神病学，但遭父母反对，最后选择修读教育及文学专业，立志成为一名教师。

大学期间，凯西不断寻求不同的体验，她充分利用每年的暑假游历欧洲各地，在某年夏天，她更是在纽约长岛当出租车司机。"暑假中期我从欧洲回家，当时我确实需要一份工作，所以当上了出租车司机。当时父母不太赞成，但我觉得这是很有趣的体验，我甚至因为可以成为当时唯一的女出租车司机而感到特别。”

凯西十分享受回忆大学时代许许多多的片段，某些点滴仍然令今天的她会心微笑，觉得有趣万分。这些年少轻狂的经历甚至感动了巴菲特，他常常向人称道能够聘用一位曾做过出租车司机的美国商业资讯（Business Wire）总裁是伯克希尔·哈撒韦的骄傲。巴菲特还经常打趣地说：“这不就是一个典型的‘美国梦’吗？”

活学活用

回顾她的学业，凯西认为大学里学到的文学知识，虽然没有提高她的经营技巧，但却为她的未来打好根基，为投

凯西与沃伦·巴菲特合照

书本知识虽然重要，但最重要的是你能否对新事物抱持开放态度、处事灵活弹性、重视团队合作，这样才可从活学活用中成长。

身社会作好准备。凯西认为在大学主修哪项科目并非关键，进入大学的意义，是在于从修读不同课程中学习人生的智慧及做人原则。

作为总裁的凯西，在筛选应聘者时并不看重谁是天才生，反而着眼于发掘一些发展全面、表现出众、做事勤奋的人，相信他们可以在工作岗位上作出最卓越的贡献。

她说："'从工作中学习'这句老话的确很有道理。我认为，当你投身商业社会时，最重要的是获得实战经验的机会。随着你的事业逐步发展，你自然会学习到更多的人际技巧。我相信书本知识虽然重要，但最重要的是你能否对新事物抱持开放态度、处事灵活弹性、重视团队合作，这样才可从活学活用中成长。"

大学肄业后，凯西在一所中学担任教职，希望成为一位受人尊重的教师。不久她决定再度游历世界，追寻更理想的工作。当她来到夏威夷时，她立刻爱上了这个美丽的岛屿，并决定留在一家精品酒店当经理。虽然当时凯西觉得从事酒店管理是有趣的工作，但后来她还是了解到发展机会始终有限，遂决心重返校园为自己的专业增值。

凯西说："虽然我很希望继续游历世界，但我更明白自己应为未来事业作好准备。因此，在夏威夷短住之后，我马上回到纽约州立大学石溪分校修读文学硕士。"

研究生毕业后，凯西与未婚夫斯蒂芬·塔马兹（Stephen Tamraz）受邀返回夏威夷管理一家他俩曾一起任职的酒店。不久之后，该酒店易主。1979年底，小两口决定搬到更具传统特色的地方——旧金山，并在那里寻找新工作。

某天，凯西偶然读到美国商业资讯的招聘广告，征召具备文字编写能力的员工。她立时执笔写信应征，并于1979年末顺利加入美国商业资讯，成为一位编辑，负责编写金融新闻稿发送至媒体。

翌年，凯西被委以重任，派到纽约市开设分公司。由于纽约是她的老家，加上未婚夫亦有一些业务在纽约市当地发展，她二话不说便接受了任务。

凯西说："我从没想过我那份冒险精神能为自己创造新契机。在20世纪70年代末，我们的业务发展集中在西海岸，而到东海岸的纽约华尔街来开设分公司其实是一大挑战。我相信是自己的那份探索精神令我的事业打开了新的一页，这亦是我向成为公司总裁迈出的第一步。"

回到纽约老家，凯西不断为公司寻求新的发展空间。1982年，她与斯蒂芬结为连理，组织了新家庭。

永无止境的发问是成长的动力

在美国商业资讯工作多年，凯西懂得了最直接的学习方法就是发问。尽管很多人都不会坦白说出自己的想法，她却勇于发表个人意见及提出问题。

当年初出茅庐的凯西，不单要求自己做好分内工作，还渴望更多地了解公司的运作模式。为了满足求知欲，她经常找公司创办人洛里·洛基（Lorry Lokey）询问有关公司发展及业界的问题。

凯西说："我带给洛基很多烦恼。他在我求职面试后录取了我，而作为后辈，又是新闻行业的新人，我极希望了解公司的多项决策和运营模式的背后动机和意义，所以便一直提出疑问。我的'每事必问'性格对洛基来说是一项挑战，起初难免令他感到烦躁，但最终，因为我的那份求知欲，他反而对行业加深了了解，我俩均大有收获。”

“今天，洛基对于我可说是亦师亦友。我那种‘每事必问’精神纵然给他带来烦恼，但我们都同意，很多时候，那位常与你吵嘴的人，最后会变成你最尊敬的人。正因为我对新闻行业有那么大的兴趣——相信洛基也是欣赏我那份热忱和勇气，所以才渐渐赋予我更大的责任，令我的事业得以逐步发展。”

洛基教导凯西，通过风险预期，以及相信自己的直觉，便可保持竞争力，维持企业精神。有一个很好的例子，就是洛基在20世纪80年代时决定扩展美国商业资讯的规模，他步步为营，但无惧无畏地清楚勾画出目标方向，然后毫不犹疑地逐步实践。

凯西在发展事业的过程中，从洛基身上学到很多东西。她发觉，无论是开创一门生意还是发展一门事业，都要一步每个人理应要为自己订立长远目标，推动自己一步步向前。订立目标不可激进，必须合乎自己的能力，而且目标亦要实际、意义深远而可实践，但不能因循守旧。

一个脚印，不能操之过急，也不必介怀反对者或竞争对手带来的压力。每个人理应要为自己订立长远目标，推动自己一步步向前。她更强调，订立目标不可激进，必须合乎自己的能力，而且目标亦要实际、意义深远而可实践，但不能因循守旧。

凯西解释道："洛基教我学会怎样聆听自己内心的声音，继而清晰、合理而不固执地追寻自己的步伐。这说起来容易，但我认为它是需要时间、经验和勇气的累积的。已80多高龄的洛基，现拟将自己的财富捐赠给慈善机构，用以推动教育。他跟我说，人生的航程就是努力学习、赚取报酬、回馈社会。"

作为管理者的一个重要条件就是要了解别人。只要用心并有耐性地与人沟通，尊重及信任便随之而来。

热爱并忠于自己的职业

凯西初在纽约工作时，是新闻编辑部的经理，但短短数年间，她已经成为纽约地区的主管。1987年，她再度被擢升为东海岸最高管理人，负责监管美国商业资讯在美国东海岸14个分公司的整体运作。

对于33岁的凯西能够攀上企业阶梯，成为女性主管，她认为除了公司在发展外，内部的人际关系亦帮助她可以接受这一重大挑战。无奈20世纪80年代的社会大多还是男性当道，所以作为行业内少数女性的她，不但要取得公司内部年纪比她大的男性高管的信任，亦要得到商业伙伴对她的尊重。

凯西明白，作为管理者的一个重要条件就是要了解别人。她相信，只要用心并有耐性地与人沟通，尊重及信任便随之而来。

回想最初成为美国东海岸主管时，她逐一到各地分公司探访各部门经理，解释她的新角色及与他们的工作关系。凯西用心聆听经理们的意见，并耐心地、适当地按需要作出改变。

她说："我要向整个团队证明我的实力，同时与他们保持友善，但我也明白，我必须跟大家保持一段小小的距离，以显示我的权威。在很短的时间内，我分析了各区的业务情况及经理的职能，迅速作出适当调整。"

1990年，凯西被任命为公司的副总裁，并被指派参与高层主管人员的行政会议。在往后的10年间，她再接再厉先后获得两次晋升。踏入千禧年，凯西再攀高峰，晋升为首席运营官；及至2003年，她荣升公司总裁；两年后，她更同时兼任首席执行官一职，管理公司的整体业务。

美国商业资讯是凯西毕生的事业，她热爱这份工作，也从没想过跳槽。新闻更新的步伐如此快速，极需要个人的稳步成长和进步，才能保持在行业内的竞争力。这份刺激人心的动力令凯西全情投入工作，亦让她每天都学习到新鲜事物。

金钱远不及生命珍贵

回顾过去的事业，凯西认为最棘手的新闻，可以说是“9 · 11”恐怖袭击事件。

回想起这件事，凯西犹有余悸：“从经济影响上来说，2008年的金融危机是我所经历过的最恶劣的，但从情绪角度而言，“9 · 11”对我的打击更大！虽然我曾经处理过各种各类的突发情况，但当我想到，在飞机撞向世界贸易中心时，自己正身处纽约市，那种心情是永难忘记的！”

生命并非只是接受和拥有，还包括牺牲和付出。那些曾参与引发近年金融危机的人，凯西认为他们应该读读这个故事，习得金钱是换不到尊重的！

凯西接着说："当天，我们有两位同事正在华尔街办事，在袭击事件发生后，我首先想到的是他们在哪里。因为他们的手机没有信号，所以我们用了大半天时间才知道他们的下落。幸好，他们都平安无事，但对我来说，当天及以后数星期发生的事，比近几年的金融风暴更引人关注。"

谈到2008年华尔街股市暴跌及信贷紧缩问题，凯西认为很多人已被金钱和贪婪蒙蔽了双眼，以致完全漠视了商业道德。有着丰富文学修养的凯西，提到了一部短篇小说——欧·亨利的《最珍贵的礼物》。故事讲述了一对贫穷夫妇，为了要为对方准备一份圣诞礼物而卖掉自己最珍贵的东西。

凯西认为这个故事发人深省，它教给我们关心别人及与人相处之道。生命并非只是接受和拥有，还包括牺牲和付出。那些曾参与引发近年金融危机的人，凯西认为他们应巴菲特曾经说："令公司损失金钱我可以理解，但破坏公司的商誉，哪怕只有一丝，我也将变得无情。"

该读读这个故事，习得金钱是换不到尊重的！因此，凯西从不急功近利，也不受引诱，绝对忠于美国商业资讯的企业精神。

她说："我是稳扎稳打的创造者！相信万丈高楼平地起这个道理。也许我的想法有点儿天真，但我只求做正确的事情，这也是令我能在晚上睡得香甜的方法。除此之外，我不晓得有其他更好的方法去管理一项业务。巴菲特曾经说：'令公司损失金钱我可以理解，但破坏公司的商誉，哪怕只有一丝，我也将变得无情。'"

巴菲特的授权艺术

谈到伯克希尔·哈撒韦收购美国商业资讯，凯西回想起巴菲特来电时，她真的有点儿喜出望外。

她回忆道："当时的心情至今难忘！巴菲特是一个非常亲切、务实，并毫不矫饰做作的人。那电话是由他亲自打来的，而非通过助手传话。他问我是否有时间谈一下公司的情况，亦坦言叫我称呼他沃伦。他那毫不拘泥于礼节及友善的态度足以令我放下紧张情绪。我相信巴菲特不单是一位鼓励人心的投资者，更是一位启蒙者。他是一个真诚而有原则的人，具备卓越的领导能力，能激励管理层努力去突破他的要求。对于自己能够成为他团队中的一员，我感到十分荣幸。"

美国商业资讯收归伯克希尔·哈撒韦旗下之后，公司的运作并没有任何改变，正如巴菲特的一贯作风，他授权一个可信任的团队管理企业，因为他明白用人不疑，疑人不用的道理。因此，凯西继续执行收购前的企业管理模式，而美国商业资讯更为伯克希尔·哈撒韦以后的收购行动和

凯西与巴菲特及管理层人员在纽约证券交易所敲响开市钟

真正的领导者都经历过考验，无须过分炫耀个人才华。
领导者不但要坚守原则、商业操守，更要建立团队精神。

商业拓展计划提供了强大的信息支持。

作为美国商业资讯的总裁，凯西要竭力维持公司的健康形象及强大竞争力，所以她的首要工作是协调各个部门，制定清晰的策略，让每位员工遵循。毕竟，她的决策能直接影响公司500名员工的事业及前途。

凯西很清楚，成功和失败都是成长的重要养分，任何有实力的公司都要通过时间考验来证明市场的地位。在过去30年，凯西多次目睹公司的起落浮沉，所以在推动公司向前发展的同时，她一直抱着谨慎态度，尤其在成为伯克希尔·哈撒韦旗下一员之后，她更是小心翼翼，不希望令巴菲特失望。

凯西认为，真正的领导者都经历过考验，无须过分炫耀个人才华。她坚信领导者不但要坚守原则、商业操守，更要建立团队精神。她坦言年轻时没有想过这些商业及个人特质，当她成为公司高层后，她才发觉具备坚强及正直的性格是不可或缺的领导素质。

凯西相信，虚荣往往能蒙蔽人心。她说：“放下权力亦是领导者必须学会的。有时候，放手让他人行使自己的权力并不容易，但每个人的能力和时间始终有限，所以学习授权及建立团队才是长远的正确态度。”

凯西补充，提携员工、分派工作，听起来很容易，但要找出正确的人去履行职责，以及建立强大团队去推进重大的工作项目，恰似一项艺术。“你必须要让他们从工作中学习，才能够看得出谁是真正的能者。”

每天都给自己一点惊喜

凯西发现，有才干的人常常在初期低估了自己的能力。

努力是成功的先决条件，但好奇心能推动你挑战自我，突破自我。

领导者的工作就是委派艰辛但可胜任的任务给他们，让他们通过施展自己的长处及考验自己的弱点增强自信。

“我们都说‘有麝自然香’，但当一位领导者保持着开放态度，耐心地等待年轻人成长时，年轻人亦需要下定决心长期为公司效力。现在的年轻人常常换工作，欠缺了那份坚持的信念。这些年轻人无论有多大的才干和智慧，若没有作长线的考虑，也是徒然。”

凯西除了理解授权的重要性外，亦有一套可以使人“在40岁时变得老练，在80岁时变得年轻”的职场养生之道。她说：“与洛基、巴菲特，以及其他一些颇具智慧的人士交往后，我发觉他们在学习上均充满好奇心，这令他们时刻保持年轻的心态。很明显，努力是成功的先决条件，但好奇心能推动你挑战自我，突破自我。”

凯西经常将这句话挂在嘴边：“每天做一件正确但令自

己吃惊的事！这并非暗示一个人要鲁莽做事，而是鼓励他要考验自己的极限。勇于冒险的人，绝对可以改变人生，令自己变得年轻。很多时候，当你做对了某些事情，你会以为人生道路开始变得平坦顺利，但事实却不然。所以，我们时刻都要保持警觉性，每天都要具备冒险家的精神！”

美国商业资讯

美国商业资讯是全球主要企业的新闻、企业向监管机构递交的档案的发布商及多媒体信息服务提供商，每天，数以千计的企业新闻稿及档案，通过它的专利网上平台发布，同时发送到新闻媒体、财经市场及信息网站。服务网络覆盖150个国家，包含45种语言，拥有超过60个业务伙伴，当中包括海外及美国国内的新闻代理商，每天大约向3万家会员公司发布数千条新闻稿。

洛里 · 洛基于1961年在旧金山创办美国商业资讯时，他身兼记者及公关二职。公司开业时成功找到7个公司客户，主要为当地的湾区内媒体提供服务。4个月后，业务开始蓬勃发展，并第一次获得赢利。

20世纪60年代时，美国商业资讯与全世界的有线网络连接起来，会员数量逐渐增长。1967年，它在洛杉矶开设办事处，至60年代末，在职员工有15名、会员公司超过300家。到了70年代，由于会员对财务信息的需求日益增加，美国商业资讯便在西雅图及波士顿开设办事处。值得一提的是，60年代后期，有线传输的最高速度为每分钟100字，及至70年代，利用卫星直接将新闻稿传送至用户计算机，速度可达每分钟1 200字。

80年代是美国商业资讯拓展的黄金10年。公司在纽约及其他10个地区设立了16个办事处，聘有150名员工。1990年，公司全年的收入超过1 000万美元，高居公关服务公司榜首位置。

接着，美国商业资讯开创了新科技和服务，迈向互联网领域。1995年，其成为首家开通网站的新闻发布公司，在网上提供的最新信息吸引了更多会员。差不多在所有的大型网络搜索引擎、门户网站上及信息服务社，都找得到它的新闻内容。

2000年，美国商业资讯已拥有26个办事处、超过400名员工，收入接近1亿美元。2003年，它甚至开发了属于自己的通信平台，取名NX，通过这一平台它向全球媒体及信息系统同步发送加了密的企业新闻稿。这项革命性新科技在2006年获颁美国专利权。

2005年，美国商业资讯总裁凯西在《华尔街日报》读到一篇关于巴菲特的文章。文章刊于2005年11月12日，标题是《解构巴菲特》（*Buffett Unplugged*），内容提到投资大师巴菲特希望收购的对象公司的类型。凯西灵机一动，马上去信给巴菲特，向他讲解美国商业资讯的业务详情，问他是否有兴趣提出收购。出乎凯西的意料，巴菲特致电给她，表示希望更深入地了解美国商业资讯的运作，于是凯西与洛基及巴菲特相约于同年12月在旧金山会面。

会面之后，巴菲特很喜欢美国商业资讯，并于2006年1月17日向他们提出不公开的收购价。（2005年，美国商业资讯的年收入为1.27亿美元，公司估值大约为6亿美元。）2006年3月1日，收购交易完成。

美国商业资讯总裁凯西·巴伦-塔马兹2005年冒昧寄给伯克希尔·哈撒韦的一封信，深深引起了巴菲特对收购美国商业资讯的兴趣。他认为美国商业资讯是美国企业精神的典范，那就是“一个既特别又有逻辑的商业构想，加上一位有能之士，结合一股勤奋的力量所产生的正面效果”。

同年的主席致股东函上，巴菲特称赞凯西道：“当我读完凯西寄来的信后，我觉得美国商业资讯和伯克希尔·哈撒韦非常匹配，我特别喜欢信里凯西的一番话：‘我们尽量紧缩公司开支，避免无谓的花费，我们这里没有秘书，没有不必要的管理层，所以人人必须事事亲历亲为。但是我们绝不吝啬在科技发展上投放大量资金，务求将业务推向更高峰。’”

THE BERKSHIRE HATHAWAY

BEHIND THE BERKSHIRE HATHAWAY CURTAIN

第二章

与兰迪·沃森组成团队——贾斯汀品牌

罗纳德·里根

——一个不介意功名的领袖，才是真领袖！

兰迪的人生教练

踏进贾斯汀品牌（Justin Brands）总裁兼首席执行官兰迪·沃森（Randy Watson）的办公室，可以看到墙上挂了一幅巴菲特与阿诺·施瓦辛格并肩而行的照片。巴菲特在照片上写了一句话："我们要给阿诺穿上一双贾斯汀的牛仔靴，让他推广我们的品牌！"言简意赅，短短的一句话，让兰迪体会到巴菲特的智慧，也感谢他的支持。

对于能成为伯克希尔·哈撒韦的一分子，兰迪感到非巴菲特不但懂得如何将复杂的事情简单化，亦了解简单就是美的道理，所以他以不变应万变的策略，就是最有效的改革方案。

常骄傲。他解释说：“巴菲特收购了我们的公司后，并没作出任何变动，这是在企业界里极为罕见的。很多企业狙击手与伯克希尔·哈撒韦想法不同，他们总会插手收购的业务。即使一盘生意几代以来运作良好，他们也总要作出改革。有趣的是，这些狙击手往往希望在改革后的短期内便看到成果，但他们从不明白，那些能真正经得起考验的企业，是需要长时间去建立的！”

从事牛仔服装行业30年之久的兰迪，认为巴菲特不但懂得如何将复杂的事情简单化，亦了解简单就是美的道理，所以他以不变应万变的策略，就是最有效的改革方案。

“虽然大家普遍将巴菲特誉为金融天才，但我发觉他也是一位善于市场推广的杰出商人。他经常宣传伯克希尔·哈撒韦的投资特色和福利，借此吸引志趣相投的优质公司自愿加入伯克希尔·哈撒韦的大家庭。”

兰迪与沃伦 · 巴菲特合影

一个追求理想事业的人，要考虑的不单是眼前的前途及工作岗位的变更，而是长远的发展并能满足及实践个人理想。

理想与梦想

1957年出生于得克萨斯州奥斯汀市的兰迪，在1993年加入贾斯汀品牌做销售经理。兰迪以他的得克萨斯腔说笑道："我是减了56%的薪金接任这份工作的。很潇洒吧？"

兰迪以加盟球队比喻减薪一事说："我宁可少赚一些而为最好的队伍出赛，也不愿多赚一点而效力于一般水平的队伍。在我的年代，每一位牛仔产品从业员都渴望加入贾斯汀。它的文化及历史可以追溯到1879年，它所生产的牛仔靴是优质的顶级品牌。此外，公司董事会主席小约翰·贾斯汀也是州内相当受尊敬的人士，所以能为此品牌服务是一份光荣。"

兰迪相信，加入贾斯汀是一个明智的决定。他指出，一个追求理想事业的人，要考虑的不单是眼前的前途及工作岗位的变更，而是长远的发展并能满足及实践个人理想。他相信，能在一家合适的公司工作到退休，比接受一份高薪厚职来得更重要。

早在年轻的时候，兰迪就已领悟到理想与梦想的分别。

他说："我童年时的梦想是成为职业棒球手。我的父亲在得克萨斯大学打棒球，然后在得州的新墨西哥联队做职业球手，所以我是在棒球运动中成长起来的。当我于1978年入读休斯敦大学后，我主修的科目是工商管理和体育。可是，我最终发觉成为职业棒球手只是一个梦想。虽然我的棒球技术不俗，但比起职业水平还差一段距离。最终我放弃了梦想，追求我的理想。"

1980年夏天兰迪毕业了，那年他23岁，他决定彻底放弃运动，现实地投身商界。他的第一份工作是在一家名叫唐氏西服店的零售店任兼职助理。值得一提的是，1980年由

兰迪与美国职业棒球大联盟著名投手诺兰 · 莱恩

约翰·特沃尔塔主演的《都市牛郎》继《油脂》之后再次造成轰动，电影大卖。该片票房竟超越同年上演的《星球大战之帝国反击战》，这个电影小奇迹燃起一股牛仔服热潮。

兰迪回想道："《都市牛郎》的拍摄现场格列酒吧与唐氏西服店只有数英里之隔。唐氏的老板估计牛仔服势将带动潮流，便叫我由兼职转为全职。那时的我对棒球的热忱已经大减，加上很喜欢牛仔服，便接受了老板的建议。当时我并没有打算以零售业作为终身职业，唐氏对我来说只是一份工作。不过，随着公司赋予我的责任越来越重，我便对这份工作开始上心，而且积极起来。"

兰迪在唐氏初期时担任店员，负责客户服务及推广产品。6个月后，他被擢升为店铺经理，新岗位让他有机会周游各国、出席展览，与批发商、供货商及生产商接触联系。

1982年，兰迪跟女友维基·拉什结为连理。有了新家庭后，兰迪更希望寻找新机会，推动事业发展。他了解到唐氏的零售业务始终发展有限，所以他决定朝着牛仔服产品的批发市场方面作新尝试。在往后数年间，他为各批发商担任营业代表，当中包括诺科纳牛仔靴公司（Nocona Boots）及路查斯牛仔靴公司（Lucchese Boot）。拥有十多年市场经验的他，最终加入了贾斯汀牛仔靴公司。

棒球的领导哲学

回顾早年的事业道路，兰迪发觉自己一直在与自己的竞赛中进步成长。

当兰迪努力为公司作出贡献，以求保持个人竞争力时，他也了解到团队精神的意义。他比喻说："不论是打棒球还是做生意，都不是个人表演。比方说打棒球，在你成为顶作为决策人，兰迪就像棒球教练一样，确保适当的人选处在适当的岗位，然后他便可让团队上下自由发挥。

级球队的成员之前，你必须跟自己竞赛，才能跻身球队之中。之后，你必须与其他队员竞赛，才能稳固自己在队中的地位。最后，更要学习与队员合作的艺术，才能在比赛中击败对手。我一直保持这样的心理状态，所以我不断提升自己，令自己保持竞争力，确保不会跟其他人脱轨。”

他亦形容能够加入贾斯汀，就是让自己加入到最佳的团队中。开始时，他是击球手，静静地观察行业的变化；成为营业经理就是到达了棒球场上的一垒，目标是售卖市场上受欢迎的牛仔商品；升任为销售部副总裁时，是到达了二垒，目标是将重点放在产品设计和推广上，以期望在同业中突围而出；被擢升为区域总裁，是占领了三垒，成为一位以大局为重的管理者；最后，在1999年，当他41岁时，他成功得分，成为了贾斯汀品牌的首席执行官，负责管理5个牛仔服品牌。在此方面，他对牛仔服潮流行业的热忱开花结果。

乐意聆听，就是给予空间让下属发挥长处，让他们逐渐建立自信。只要让他们得到表达意见的渠道，他们便自然会为公司作出最大贡献。

自担任首席执行官一职后，兰迪努力确保公司内每一位员工也朝着同一方向和目标努力。要成为一位领导人，并不纯粹只看个人表现，还要看整体团队如何协作，从而创造更佳成绩。作为决策人，兰迪就像棒球教练一样，确保适当的人选处在适当的岗位，然后他便可让团队上下自由发挥。

兰迪说："作为总裁，我学会了聆听的人际技巧。我的前上司曾跟我说，我们天生有一双眼睛、一对耳朵，但却只有一个嘴巴，所以我们要时刻观察和聆听，只用两成的时间说话就好了。我注意到，聆听原来不是被动的过程，而是主动地参与。乐意聆听，就是给予空间让下属发挥长处，让他们逐渐建立自信。只要让他们得到表达意见的渠道，他们便自然会为公司作出最大贡献。"

兰迪承认，良好的团队，并不表示所有人要彼此妥协，

兰迪与约翰·贾斯汀（中）及J·T·迪肯森（右）合影

对内的反对声音是健康的，但当团队置身于公司以外的地方时，所有人就要团结一心，对外发出一致的信息。

而他亦不希望因自己身居要位，下属便要凡事附和他。反之，他认为团队成员应该根据个人的信念表示同意或反对。有了此信念，兰迪欢迎所有健康的闭门争执和讨论。他说：“对内的反对声音是健康的，但当团队置身于公司以外的地方时，所有人就要团结一心，对外发出一致的信息。相反，若团队成员对外暗中损害公司制度的话，就是不健康的行为，这也是我绝对不能忍受的！”

领导者应勇往直前

聆听和讨论虽是正面交流，但作为领导者，兰迪最终亦要敢于在多方意见下作最适合的决策。对他而言，最困难的决定是在1999年作出的，当时他与管理层决定在一天内关闭两家工厂。

事件的因由是公司原想通过计算机化，引进一套计算机系统，将各部门整合起来，从而提高公司的生产效率及成本效益。可惜的是，这套系统却带来了反面的效果。

兰迪说："我们尝试使用这套系统，监控牛仔靴的款式、尺寸、宽度，甚至细微至每一种编结法所采用的线条颜色。若我们只生产单一产品，这套系统便好极了，但我们的产品却是多元化的，所以弄巧成拙。两年间，我们的竞争对手乘虚而入，趁机夺走了我们的市场占有率。为了度过这场危机，我们迫于无奈作出残酷的决定，关闭五家生产厂的其中两家。"

从这次教训中兰迪明白了，简明的管理手法就是最好的经营策略。无可否认，计算机系统最终提高了贾斯汀的生产力，但在使用过程中，却为公司带来了一场危机。在这段艰难的时期里，前公司董事会主席迪肯森（J. T.

优秀的人，是那些在竞技场上，脸上沾满灰尘、汗水与鲜血，勇敢抗争、犯了错马上可以站起来的人！

Dickenson）送了一篇文章鼓励兰迪，提醒他当领导者应具备的勇气。

这篇文章是美国前总统西奥多·罗斯福在1910年发表的，题为“竞技场上的人”：“优秀的人并不是提出批评的人，也不是那个能指出强者之所以绊倒的原因，或者做事的人应该如何做得更好的人。优秀的人，是那些在竞技场上，脸上沾满灰尘、汗水与鲜血，勇敢抗争、犯了错马上可以站起来的人！成功总是由错误累积而成的，所以竞技场上的人应懂得投入最大的热忱及作出最大的努力，为价值而牺牲个人利益。竞技场上的人在最佳状态时，能体会成功的道理；在最坏的情况下，即使失败了也能敢于面对挑战。”

迪肯森提醒了兰迪作为领导者应有的勇气，但即使十多年过去了，那天工厂关门，大约500名工人需立即被遣

> 生命的意义，不仅在于你能否追寻理想，或在热爱的行业内工作。学习建立行业内的职业操守及提升信誉，亦能间接令你找到人生的意义。

散的情境，兰迪还是历历在目。不过他却以乐观的口吻说："回顾过去，最艰辛的日子已不再艰辛，挑战只会是未来的决策。"

生命的意义

回望过去在牛仔服潮流行业工作超过30多年的兰迪，幸运的他在行业内遇到的商业伙伴都是真诚之人。他说："生命的意义，不仅在于你能否追寻理想，或在热爱的行业内工作。学习建立行业内的职业操守及提升信誉，亦能间接令你找到人生的意义。我很喜欢和重视与这一行业的不同人士合作，因为他们大多都拥有极佳的信誉及诚信，即使只是一个简单的口头承诺，他们都会一一兑现。就这一点，我们已节省了很多时间及律师费用。"

只有在生活和工作之间取得平衡，生命才会精彩。

单是工作出色是不够的，家庭亦是生命的一部分。兰迪是一个有爱心的父亲，在子女的教育上投入了很多精力。他观察到很多人工作十分勤奋，但却忽略了生活的其他环节。他认为，只有在生活和工作之间取得平衡，生命才会精彩。

他分享道："努力工作固然好，但如果你已为人父母，请你谨记参加孩子的所有活动！你可以为一家公司服务30年，甚至50年，但你的孩子只会上一次一年级。你必须明白童年是很短暂的，所以如果他们要参加某些活动，请你谨记到场与他们分享喜悦。若你无时间参加他们的活动，那就另找份工作吧。"

谈到怎样教导孩子，兰迪最近经常教育他的三个子女有关金钱的管理之道。兰迪相信近年的金融危机可令社会回归节约的美德。他笑着说："买任何东西之前，即使是一双贾斯汀牛仔靴，也先要学习等待和储蓄。摆脱负债是现今

兰迪与他的野牛骑术队一起宣传贾斯汀品牌

一代年轻人必须学习的！”

工作及家庭以外，公益亦是兰迪热衷参与的项目。他曾为得克萨斯州巡警队队员的子女提供大学奖学金，而且曾担任得州教育团体的导师，致力于培训年轻人的思考方式、待人处事的沟通技巧、团队合作精神及职业道德发展。

在总结他对生命意义的理解时，兰迪引用了美国汽车大王亨利·福特的名言：“聚起来是一个开始，互相扶持是一个过程，而一起工作才是成功！”

贾斯汀品牌

被誉为“牛仔服象征”的贾斯汀品牌，以制造优质的牛仔靴驰名。创办人赫尔曼·J·贾斯汀（Herman J. Justin）原是美国印第安纳州的一名皮革工匠，在19世纪70年代时移居得克萨斯州的西班牙堡，并于1879年开始他的事业，为客人度身定制牛仔靴及修补靴子。

赫尔曼向当地一名理发工借了35美元，以此起步，开业首年以每双35美元的价钱售出了120双定制的牛仔靴。赫尔曼凭着优质产品及敏锐的生意头脑令业务蒸蒸日上。数年后，7名子女加入公司协助生产，他的妻子则设计了一种定制工具，让客人通过邮寄尺码下单，为客人打开方便之门。

随着美国国内的铁路网络不断发展，赫尔曼想到通过搬往交通便利的地点来拓展这项家族生意，遂于1889年将公司迁往铁路沿线的得克萨斯州诺科纳市。1908年，赫尔曼的两个儿子约翰和厄尔成为了公司股东，公司亦更名为"赫尔曼·J·贾斯汀父子"(H. J. Justin and Sons)。1910年，他们的产品驰名国内外，以每双11美元的价钱销往美国26个州及其他国家，包括墨西哥、古巴及加拿大。

1924年，赫曼尔逝世，他的子女决定进行第二次，也是最后一次迁址行动，计划将公司总部由诺科纳市迁至沃思堡市。新店的交通、邮递及银行配套相对较为完善，劳动人口也较多，有利于招聘更多员工。不过，众兄弟姊妹在搬迁决议上出现了分歧。赫尔曼的女儿伊妮德不赞成迁址，她决定留在原址发展，而由她一手创办的诺科纳牛仔靴公司，后来更成为了贾斯汀公司的最大竞争对手。

尽管从1929年开始，美国陷入经济大萧条，但由于牛仔电影及文化广受欢迎，牛仔靴仍一直高居潮流榜，贾斯汀的业务也得以继续增长。公司掌舵人约翰决定拓展产品系列，打入骑士靴及绑带靴市场。这个决定需要大量资金支持，间接导致了公司在1949年陷入数次财务危机。当时，约翰的儿子小约翰 · 贾斯汀正值32岁盛年，自信能扭转公司的劣势，信心满满地加入到家族企业扛起主持大局的重担。小约翰的第一步先是买下叔叔阿维斯的股权，摇身一变为公司的最大股东。

小约翰明白，牛仔靴必须与潮流同步，所以他参与设计并推出了新款的拉线缝合式牛仔靴，它的圆头设计令马术表演者及参赛者下马更轻松。这款新式牛仔靴推向市场后风行一时，也带动起城市牛仔（urban cowboy）的热潮。

1951年，小约翰被任命为公司总裁后，顿时强化了公司与零售店的联系，采用新的营销技巧吸引更多顾客，从而改善了公司的服务品质。

1968年，小约翰以贾斯汀业务交换艾克美砖材公司（Acme Brick）的母公司第一沃思公司（First Worth Corporation）的股份，两家公司组建了一个小联合企业，并于1972年命名为贾斯汀实业。当时贾斯汀实业同时拥有艾克美砖材公司及贾斯汀品牌的股份。作为新集团的总裁，小约翰继续带领公司，在1981年收购了姑姑伊妮德的诺科纳牛仔靴公司，将集团产品的产量提高至每天8 000双。

1985年，集团收购了威斯康星州的百年老号奇普瓦制鞋公司（Chippewa Shoe Company），拓展运动鞋及工作靴系列。当年，集团鞋类部门的销售额已高达1.039亿美元。集团的成功迅速令它成为市场并购对象。1990年，当集团的鞋类及砖材业务营业额分别达1.814亿及1.189亿美元时，它却成为恶意掠夺的企业狙击手的目标。虽然当时小约翰已步入暮年——70多岁了，拥有集团20%股权的他仍决定要保卫他的王国。他运用个人机智，以1 800万美元现金购入竞争对手托尼·拉玛制靴公司（Tony Lama Company），当时托尼·拉玛的财务十分混乱，负债3 500万美元。这次交易不但避开了企业狙击手的袭击行动，更加强了公司的生产实力，使公司的前景看好。

2000年，在总值4.5亿美元的美国牛仔靴市场中，贾斯汀的牛仔靴占了35%的份额。同年，巴菲特以大约6亿美元收购了贾斯汀品牌。这位战斗到最后的勇士虽卧病在床，却仍紧紧地监管着整个交易过程。数月后，小约翰撒手人寰。后辗转由兰迪接管了贾斯汀品牌公司的首席执行官一职。

BEHIND THE BERKSHIRE HATHAWAY CURTAIN

第三章

与斯坦福·利普西一起行动——《布法罗新闻》

欧内斯特·海明威

不要混淆动作与行动两者的区别！

良师益友巴菲特

《布法罗新闻》(*Buffalo News*，又译《水牛城新闻》)的发行人斯坦福·利普西（Stanford Lipsey）是伯克希尔·哈撒韦中最富经验及资历最老的管理人员。每年的冬天及春天，他都会到西海岸加利福尼亚州的棕榈泉，躲避东海岸纽约州布法罗的严寒风雪。在他加州的家中，斯坦福特意设计了一个办公室，让他可以随时与东海岸的同事紧密联络，保持他在新闻资讯上最敏感的直觉。

年届八旬的斯坦福说他坚持继续工作是希望与巴菲特保持伙伴关系。他说："值得一提的是当人们将业务售予伯克希尔·哈撒韦后，他们在工作上反而变得更为积极。原因很简单，他们都很仰慕巴菲特，希望成为他旗下更出色的管理人才。而我也不例外！"

斯坦福跟巴菲特结缘超过40年，他起初是巴菲特太太苏珊的朋友。因他俩都热爱爵士乐，所以他们协助成立奥马哈爵士乐团，游说商业机构赞助爵士乐在当地发展。

1965年，巴菲特经太太介绍认识了斯坦福，并向斯坦福提出收购他管理的奥马哈《太阳周报》(*The Sun*)。原先斯坦福是无意把报纸出售，但经过数年的了解，他开始佩服巴菲特对报业的认识。1969年，在斯坦福刚踏入42岁的时候，他终于决定将《太阳周报》售予巴菲特。这笔交易不单令斯坦福获得现金收益，也让他晋身为最后加入巴菲

1969年，斯坦福（右）与沃伦·巴菲特合摄于《太阳周报》收购仪式上

特投资合伙公司的投资者之一，两人的友谊亦由此正式开始。自此，他们成为了工作伙伴、合伙人及好朋友。

说起巴菲特，斯坦福认为这位老朋友不单工作表现杰出，而且记忆力惊人，并具有超凡的判断力及极佳的职业道德。他笑着说："巴菲特常常有很好的建议，他善于将复杂的问题演绎成简单的方案。我年轻时并没有任何良师益友，幸好我在人生的后半段遇上了巴菲特，他不但是一位挚友，更是我的学习对象。"

回顾《太阳周报》的成功，斯坦福将其归功于巴菲特的管理之道。报社被收购后，巴菲特没作无谓干预，并任命斯坦福继续自行管理报社，令公司士气不断提升。不过，他们两人经常交流心得、意见，一起研究如何提升报纸的发行量。20世纪70年代初期，他们决定将报纸的资讯重心放在调查性的新闻报道上，这个新发展赢得了令人鼓舞的回报。

1972年，身兼《太阳周报》发行人和总裁的斯坦福经过悉心策划，与股东巴菲特及总编辑保罗·威廉斯（Paul Williams）成功地深入调查并揭发了奥马哈市男孩镇（Boys Town）的慈善团体竟然暗箱操作，拥有了庞大的财务资源，报道最终促使慈善团体改革善款分配制度。令人鼓舞的是这篇文章获得了普立策本地调查报道奖。

能够与巴菲特成为至交，斯坦福津津乐道。说起与巴菲特结识前的往事时，斯坦福变得异常感慨。原来，常常自称为“新闻人”的斯坦福，年轻时并不是一切顺利，而能够走进报业，实在是一种偶然。

“新闻人”的诞生

斯坦福1927年在内布拉斯加州奥马哈市出生。他在20

世纪30年代经济大萧条的环境下成长，经历了第二次世界大战，见证了国家走向富强的演变。他说："我孩童时经常听到一句话——'国家会照顾你！'当我长大时，我对未来充满信心，但其实在我们的年代，视野仍是很窄，人们不像现在可以通过网络了解世界。30年代时，新闻来源不像今天这样丰富充足，所以我们对外面的世界知之甚少，就算是大萧条，我们亦觉得没什么大不了，因为生活环境比现今简单得多。"

斯坦福10岁生日的时候收到一部相机作为礼物，他便立刻爱上了摄影。在奥马哈中央中学求学时，他是校报的摄影师。在密歇根大学念书时，他既是摄影师，也是图片编辑。

现在仍是相机不离手的斯坦福说："摄影总能让我感觉很实在，可以忘记其他牵挂，让自己全情投入。它不只是一种生活兴趣，也是一种从艺术出发去表现自我及释放压力的渠道。”

撇开对摄影的爱好，斯坦福坦言在大学时，自己并没有认真思考过人生理想。因他对前途没有具体方向，所以他便选修经济学，打算学习一些营商之道。由于他极渴望能尽快走到现实社会追逐璀璨人生，他便埋头苦读，以三年时间便完成了四年的大学课程。

1948年，21岁的斯坦福毕业后打算找工作。当时他父亲经营着一家肉类批发公司，正打算退休，便问儿子是否愿意继承父业。斯坦福表示他对此行业没有兴趣，所以父亲便将公司卖掉，然后举家搬迁到洛杉矶。

来到洛杉矶寻找工作时，斯坦福体会到，无论投身哪一个行业，都必须懂得推销之术，他深明所有业务运作不论是实体商品还是无形服务，都是向客人推销产品，所以，要在任何一个行业成功，都必须具备销售及市场推广能力。

抱着学习推销的态度，斯坦福接受了莉比–麦尼尔–莉比公司（Libby, McNeill & Libby）委托的推销工作，负责向杂货店推广婴儿食品系列产品。同时，他与父亲四处物色有前途的业务，拟作收购。两年过去了，斯坦福发觉自己的前途仍是原地踏步，他认为洛杉矶并不是他发展事业的理想城市，毅然回到老家奥马哈市发展。

他说："我意识到在洛杉矶这样一座大城市里，一个刚走出大学校门的毕业生要收购一门生意去经营或找寻合适的工作，竞争实在太大了。恰巧我经常回奥马哈市探亲访友，我看到市内的《太阳周报》正在招聘广告推销员，于是我便决定返回老家，接受新的尝试。"

报业发掘了斯坦福更多的兴趣，并给他带来多方面的影响。新岗位使他有机会接触不同类型的客户，从而了解其他行业的性质。最后，斯坦福发觉报业工作最令他着迷，所以下定决心在这个行业发展。可是，正当他开始喜欢自己的新工作时，1950年的朝鲜战争爆发，斯坦福被征召到美国空军部队，并被指派到位于奥马哈市附近的奥富特空军基地的战略空军司令部担任报刊编辑。不久后，他被命令前赴韩国，但一起特殊事件令任务取消，扭转了他的命运。

斯坦福仍心有余悸地说出事件因由："一天，美国战略空军司令部的一名军官将我带到司令部，盘问我关于另一名飞行员吉姆·克莱门茨的事件。吉姆和我曾经乘坐同一架空军飞机前赴纽约，然后再到新罗谢尔沿岸戴维岛上的一所学校。在飞机起飞前，按例要递交我们的每日飞行证，我交了，但克莱门茨却因为将证件卖掉了，在企图冲上军机时被当场逮住。我是事件中的主要目击证人，由于要出席聆讯，便免去我前往韩国的任务。"

聆讯令斯坦福很担忧。在审问过程中，军官恐吓说，如果他对调查不予合作的话，便会被送往莱文沃思堡军事监狱，在那里当凿石苦工。结果，斯坦福熬过了军事法庭的审讯，克莱门茨最后获得技术性无罪释放。之后不久，由于父亲病重，斯坦福获空军部队准许回家。当斯坦福24岁时，父亲便离世了。

回到奥马哈市后，斯坦福重新加入《太阳周报》，再续前缘。这次他有计划地轮流到不同部门工作，担任不同职务，了解报业的运作。首先是他最擅长的摄影师，然后是记者，之后是编辑，最后是营运管理，包括周报的拓展、广告销售，以至印制及发行等多方面的运作。

20世纪50年代时，《太阳周报》的控股公司拥有两份报纸，在市内不同地区发行。当时已晋升为经理的斯坦福考虑到，如果公司购入市内其他地区的报纸，广告我的成功其实并没什么特别之处，我只是不断尝试而已！

业务便可覆盖整个奥马哈市，于是他全速落实收购计划，自此拓宽了《太阳周报》的客源，客户增加，利润自然水涨船高。

斯坦福相信，推销技巧包括对客户需求的了解及说服的艺术。一个明白客户想法的推销员，思维会更具策略性，说话更有逻辑。他说："推销员必须信任自己的产品，否则如何说服顾客？我深信，耐心和坚持也是必要的销售特质。作为广告部主管，我努力培养敏锐的观察力及弹性的处事态度，主动与客户沟通，理解和消化他们提供的数据，然后为他们度身打造最具吸引力的广告。我的成功其实并没什么特别之处，我只是不断尝试而已！"

回顾早年的发展，斯坦福认为他的道路是经过不断摸索而找到目标的。因父亲在他初出道时已离世，他的经验是从不断磨炼及碰钉子中慢慢累积的，是在错误中学习成长。

年轻人要找寻好的长辈或导师，然后从他们身上学习，将能获益良多。

就这方面，他建议年轻人要找寻好的长辈或导师，然后从他们身上学习，将能获益良多。斯坦福认为，一位良师可以提高年轻人的成长质素，不论在生活还是工作上，都能提醒后辈避免犯错及浪费时间。

斯坦福在《太阳周报》的事业发展畅顺。60年代中期，他已跃升为报社的发行人及最大股东。他说："当我在1969年将《太阳周报》卖给巴菲特后，我们俩都认为一般性的新闻已广泛地在不同媒体上报道，所以我们决定注入新元素，增设调查报道一栏。由于其他报纸没有同类性质的新闻，所以我们为《太阳周报》找到了正确定位。自此我们为当地注入了一股新力量。之后《太阳周报》的收入渐趋稳定，而到了70年代后期，巴菲特给予我一项新挑战，那就是接管《布法罗新闻》。"

斯坦福（右）与笔者一起分享生命中的喜悦

我更清楚，成功所带来的满足感是令我不断成长的因子。它成为我的推动力，令我每天希望超越自我，寻求新的挑战。

成功的满足感

1977年，当伯克希尔·哈撒韦收购了纽约州北部的《布法罗新闻》后，巴菲特很清楚这项业务需要彻底改革，所以他力邀斯坦福前往协助。起初，斯坦福并不愿意迁居到布法罗，巴菲特反倒建议他每个月抽一星期时间前赴当地监管运营。斯坦福喜欢这个方案，便立刻答应。

走马上任顾问一职的斯坦福，负责协助提升《布法罗新闻》的发行量及加强广告业务。这个新任务给他带来了成功感，他也开始享受在布法罗工作。

他说："我成功地对《布法罗新闻》进行了改革，这为我带来说不出的满足感。我更清楚，成功所带来的满足感是令我不断成长的因子。它成为我的推动力，令我每天希望超越自我，寻求新的挑战。巴菲特曾经对我说，我是一个敢想敢做的人。我从来没有这样想过，但我的确很享受主动出击，把应做的事情做妥。我相信成功带来的满足感激起了我对生命及工作的热忱。”

斯坦福每月如常到布法罗指导工作，他无畏无惧，处变不惊，为报社建立了一支强大的管理团队，并为它开拓了新的收入来源。他理性地分析，从全新角度去提高报纸的销售及发行量。他明白，报业生存的关键就是广告收益，为了让《布法罗新闻》成为报纸广告的集中地，他再次运用早年与巴菲特改革《太阳周报》的策略。

斯坦福为《布法罗新闻》注入的新元素就是创办《住宅快讯》（*Home Finder*）。这份随报附送的小报式地产指南，不单是当地的新宠，更成为报纸的主要收入来源，它的诞生，将所有地产广告从竞争对手那儿抢到了报社。

这份成功的满足感令斯坦福于1980年下定决心移居到

> 与一般管理人员比较，在相同的情况下，斯坦福的管理技巧为公司带来的利润至少增加了5%，他的商业管理模式每年大约为伯克希尔·哈撒韦多赚数百万美元。

布法罗。同年6月，他离开了奥马哈市的《太阳周报》，正式出任《布法罗新闻》的董事会副主席及首席运营官。两年后，他继任发行人及总裁。

自在《布法罗新闻》全职工作后，斯坦福希望了解所有一线工作的情况，他邀请更多中层管理要员参与决策过程，鼓励每个人在会上发言。他积极组织员工活动，让大家彼此联系、分享意见。在一次公司旅行中，巴菲特更是突然到访，与大家玩在一起。这些活动无疑改变了公司内的企业文化，令员工变得敢言，更有活力，且对工作充满热忱。该报后来赢得了员工和当地读者的正面评价，认为它不单是一份报纸，更是当地的一股正面能量。

1989年，巴菲特在致股东的周年信函上特意称赞斯坦福："与一般管理人员比较，在相同的情况下，斯坦福的管理技巧为公司带来的利润至少增加了5%，他的商业管理模式每年大约为伯克希尔·哈撒韦多赚数百万美元。”巴菲特这番评价正好总结了斯坦福的能力。

实事实干的“新闻人”

斯坦福深信，报业乃社会文化之柱，虽然互联网及其他媒介正威胁着报业，但他仍抱持乐观心态，因为最终大部分的新闻都是由报纸记者发掘和报道出来的。

他为报业辩护说：“现今，区域报纸的定位是要报道优质的本地新闻，这是《布法罗新闻》等地区报纸的优势，国家报纸根本办不到。一份报纸必须要将切题、准确和公正的报道带给读者，回馈顾客。我们也要提供调查报道，以纠正社会问题。作为‘新闻人’，如果我们不代表读者去做正确的事，还有谁会去做呢？”

尽管很多事情都不在斯坦福的工作范围内，但他却怀着社会责任，实事实干并积极地改善布法罗的文化。例如，自1981年起，报社每年在奥尔布赖特·诺克斯画廊举行周年免费爵士音乐会，这是美国国内同类型活动中最长寿的项目。

谈到对爵士乐的喜爱，他说："每个年代的人都有属于他们的音乐风格和特色伴其成长。爵士乐是美国唯一的原创艺术体裁，虽然我不是出色的音乐家，但爵士乐伴着我长大，我很喜爱它。举办爵士音乐会可以推动这种艺术，也能为我的生命带来很大的愉悦。"1989年，斯坦福获颁纽约州政府艺术奖，这一奖项是要感谢他对纽约文化的持续支持。

此外，斯坦福亦为布法罗出钱出力，协助保护当地一些最著名的地标建筑。20世纪90年代，他与纽约州政府及两位参议员，以及其他单位一起募集了数百万美元善款，为由著名建筑师弗兰克·劳埃德·赖特（Frank Lloyd Wright）设计的达尔文·马丁复式住宅（Darwin Martin House Complex）进行修缮，恢复1907年兴建时的原貌。他不单筹集了1 400万美元善款，更当了数千小时的义工。这可算是全球范围内，弗兰克·劳埃德·赖特设计的建筑物中规模最大、花费最高的修缮工程。1998年，斯坦福更是获得由政府颁发的历史文物保护奖。

2001年，斯坦福已是74岁高龄，他主动辞去了《布法罗新闻》总裁一职，只保留发行人的名衔。2005年，密歇根大学为表彰他对报业的贡献，将学生出版大楼以“斯坦福”命名。对于一位新闻人来说，这项荣誉最恰当不过。

回顾一生的事业，斯坦福承认他的成就远超于年轻时的梦想。大学毕业后，他只希望能找到一份体面的工作，过一个普普通通的人生，可是，在《太阳周报》及《布法罗假如在大学时他能有机会参与实习计划的话，便可以对未来事业有较清晰的方向，并可以在人生较早阶段投入正确的行业。

新闻》的工作，却让他有机会为自己的人生撰写一些重要故事，并且影响公众的人生。

斯坦福认识到，年轻人并不容易找到正确的事业。以他自己为例，假如在大学时他能有机会参与实习计划的话，便可以对未来事业有较清晰的方向，并可以在人生较早阶段投入正确的行业。

他建议说："从经验上说，我鼓励年青一代尽量争取实习机会，借此体验现实世界的真貌，透视真实人生及认清兴趣所在。为了支持年青一代的发展，我们主动欢迎及资助年轻人进行实习。假若你在报社当大学实习生，而你又能写出一篇好文章，你的名字便会被刊登于报纸上，那份满足感绝对是一种鼓舞。"

谈到在人生其他方面的成就，斯坦福开玩笑说希望可以成为更佳的高尔夫球手或网球手，因为很多朋友，包括巴

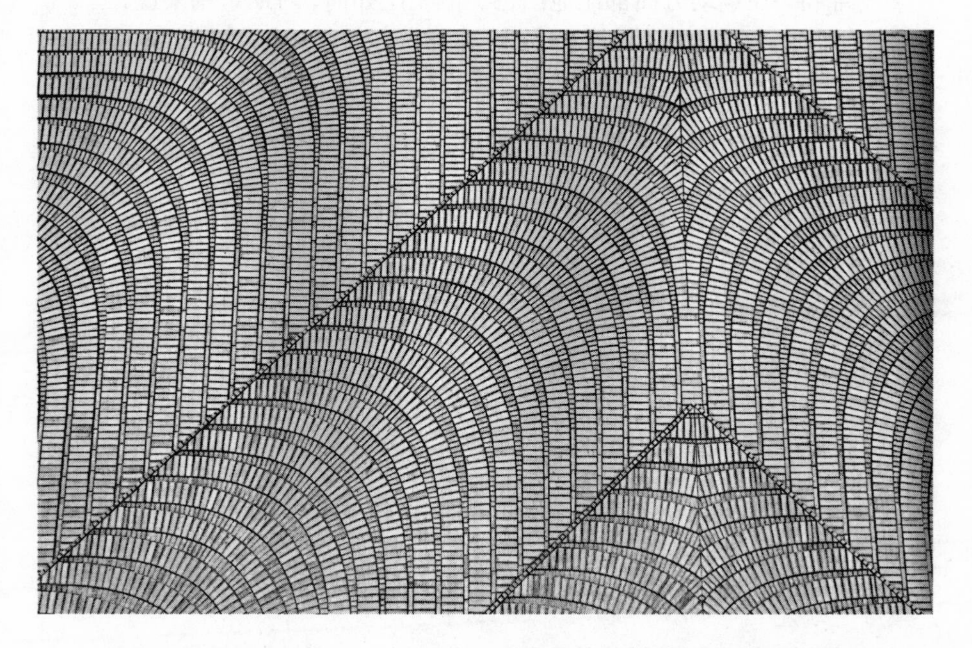

斯坦福最喜爱的照片之一——摄于纽约州布法罗大街的邮政局

成就感不仅来自最后的结果，也要活在当下，享受其中高低起伏的过程。

菲特，在运动方面都比他出色。但无论如何，对斯坦福来说，他的艺术成就，尤其在摄影方面的天分，更为大众认同。

斯坦福举办过十多次摄影展，当中最有价值和意义的一次是，在布法罗的罗斯韦尔帕克癌症研究中心展出了43幅作品（部分作品高达3米多）。癌症中心的患者告诉斯坦福，作品对他们的思想带来了积极影响，他们非常喜爱。

数年后，斯坦福的一位朋友建议他出版一本摄影集，结果《形状的密切关系》（*The Affinity of Form*）在2009年面世，该书将他的摄影作品配对比较，从形状、质地及色彩结构方面，探索不同照片的异同。

今天在斯坦福棕榈泉的家里，悬挂着4幅在特拉华州公园内拍摄的一棵橡树。它们看起来很普通，但却花了斯坦福数十年时间，才拍摄了那棵树在春、夏、秋、冬四季的不同形态。斯坦福捕捉了无数镜头，其志不在相片本身，而是在享受漫长岁月中的拍摄过程。在此，斯坦福语重心长地劝勉年轻人："成就感不仅来自最后的结果，你们也要活在当下，享受当中高低起伏的过程。"

这幅位于伊利诺伊州芝加哥市的鲁克立大楼，再次显现出斯坦福对几何图形的迷恋。

《布法罗新闻》

《布法罗新闻》是纽约州布法罗及其近郊地区的主要报纸，有百年多历史，创办以来数度易名。1873年，爱德华·H·巴特勒（Edward H. Butler）创办了《布法罗星期日新闻》（*Buffalo Sunday News*），至1880年易名为《布法罗晚报》（*Buffalo Evening News*）。1914年开始，《布法罗晚报》与其唯一竞争对手《布法罗快讯》（*The Buffalo Courier*）达成共识，前者由星期一至星期六出版晚报，后者一星期7天出版早报。

之后的数十年，《布法罗晚报》在巴特勒家族的管理及经营下，成为了布法罗极具影响力的报纸，且屡获普立策新闻奖项：1957年，布鲁斯·尚克斯（Bruce Shanks）以《思想家》夺得社论漫画奖；1961年，埃德加·梅（Edgar May）凭一系列有关纽约州社会福利服务的文章荣获本地报道奖；1989年，汤姆·托尔斯（Tom Toles）获颁漫画奖。

随着星期日的报纸发行量及广告逐渐增加，没有周日版的《布法罗晚报》发现自己处于很不利的位置。1977年，巴菲特持有的伯克希尔·哈撒韦以3 250万美元收购了报社后，决定发行周日新闻版。这个决定很快遭到《布法罗快讯》的反对，它还控告《布法罗晚报》作出了不公平及不正当的商业行为，以掠夺性定价向订户提供周日新闻版，违反《反垄断法》。

不过，当法官听完巴菲特代表《布法罗晚报》在法庭提出的辩词，以及他改变出版策略的理由后，法庭作出了平衡判决，准许《布法罗晚报》继续刊行周日版，但同时颁布了一项限制其销售及推广的指令。《布法罗晚报》险胜让巴菲特意识到接下来的报战将愈益激烈，于是极力邀请资深报人斯坦福出任《晚报》顾问。

1979年，《布法罗晚报》前景日渐明朗。美国上诉法院推翻早前向该报颁布的禁令，指出"所有记录总结出来的调查结果是，巴菲特打算对《布法罗晚报》进行的改革方案，并非着眼于报业竞争为《布法罗快讯》带来的影响，而是为了保障消费者的权益。这是《反垄断法》致力推广的精神，而非打击的行为。"

1982年，《布法罗快讯》停刊，《布法罗晚报》更名为《布法罗新闻》，同时发行日报及晚报。从1983年起至2006年停刊，身为发行人及总裁的斯坦福一直是报社的关键人物。

承诺报道优质新闻的《布法罗新闻》在伯克希尔·哈撒韦接手后近30载，一直贯彻这样的使命："我们致力成为一份由始至终履行认真调查及报道工作的报纸，我们以有效率、具风格的报道与读者连成一线，以争取他们的长期支持。这是智慧、经验和人性的表现。”

BEHIND THE BERKSHIRE HATHAWAY CURTAIN

第四章

与巴里·塔特曼一起创新——乔丹家具

亨利·戴维·梭罗

世界就是一幅让你发挥创意的白画布。

诚实与诚意的力量

乔丹家具（Jordan's Furniture）的塔特曼兄弟，于1998年在马萨诸塞州的迪克市开设了一家家具城，并将其打造成一个主题公园般的购物场所，内设一个以酒吧街为主题、占地12万平方英尺的家具陈列室。现在集买家具与娱乐一身的概念并不新颖，但早在十多年前的乔丹家具走出传统，带我们认识到这极富创意的营销技巧，却是史无前例。

如果认为这一酒吧街的主题构思疯狂，那么当我告诉你两兄弟曾经异想天开在其中一家店铺装置摩天轮时，你是否会目瞪口呆呢？或许这个构思太前卫，他们最后还是采用了设置动感影院的方案，让顾客体验看电影如同坐过山车般刺激的娱乐。1992年的母亲节，两兄弟于艾文市的分店开设了这一动感影院，并称之为“奥德赛动感电影之旅”。

塔特曼兄弟非常风趣，做事不依常规，但常有创见。他们认为家具店本身缺乏娱乐活动，才令逛家具店变得沉闷。两兄弟反复构思了各种新方法吸引新顾客，尤其针对一些有孩子的家庭，最后便想出了名为“购物加娱乐”（shoppertainment）的概念。

新店铺开张时吸引了大量顾客慕名而来。正当塔特曼兄弟乐在其中时，他们的名声引起了竞争对手的注意。当时已拥有三家家具公司的巴菲特询问旗下的管理人员，业内最佩服的对手是谁，他们均异口同声地说“乔丹”。答案触发了1999年8月巴菲特与塔特曼兄弟的第一次会面。

乔丹家具的前任首席执行官巴里回忆说："经一位朋友介绍认识巴菲特后，我们相约在波士顿市内集合，然后驾车带他到乔丹家具参观。在保诚大楼的停车场内，我们忘记了车子停泊在了哪层。那一刻，我们与世上最富有的新朋友找车的场面至今令我难忘。一路上我们聊到不同的体育球赛来打发时间，而巴菲特那种和蔼及友善的态度，减轻了我们的尴尬。"

诚意是可以赢取信任的。巴菲特与塔特曼兄弟会面后，他表示有兴趣收购乔丹家具，但他亦表示尊重他们家族的决定，所以若商业上未能合作，他亦愿意与塔特曼兄弟继续成为朋友，交流意见。

巴菲特的话令这两兄弟认真思考起乔丹家具的前途。巴里说："我们考虑到家族的下一代，思考着如何做才能让家庭成员感到公平。其实，处理任何家庭事务时，最重要的是对每一个人都公平，因为金钱着实可以破坏很多美好的家庭关系。”

最终兄弟俩感受到巴菲特的真诚，被他的不拘小节、坦诚、从容自在的性格打动了，在确定巴菲特无意改变公司架构时，他俩便决定将业务售予伯克希尔·哈撒韦。塔特曼兄弟相信这笔交易会对业务运作带来一些变化，但它确是对家族成员最公平的交易。

事实证明决定是正确的。收购完成后，公司的运作并没有任何改变，兄弟俩继续做他们喜欢的工作。唯一不同的是，巴菲特成为了他们的拉拉队队长，随时提供无条件的支持并交流意见。

归入伯克希尔·哈撒韦的乔丹，在塔特曼兄弟的管理下继续扩展，如2002及 2004年，兄弟俩于内迪克店及雷丁

创意无限的巴里

店内增设了巨幕立体影院，以让到影院观赏电影的影迷可同时购买家具。

访问当天，巴里身穿马球衣、蓝色牛仔裤及一双匡威运动鞋，外表恰如一位创意总监，踏着轻松的步伐走进波士顿泰姬酒店的酒吧。这位资深家具零售商人，坐在一个可以眺望全美历史最悠久的波士顿公园的位置，向笔者娓娓道出他独特的市场理念，以及一个属于他的波士顿故事。

创造性思维

1950年出生的巴里，是塔特曼三兄弟中的老幺，在马萨诸塞州牛顿市长大。小时候，父亲爱德华每天晚上回家后，都会向兄弟仨讲述家族开办的家具店的故事。父亲为了能够让三兄弟亲身体验家族生意的经营情况，在他们还上小学的课余时间，经常让三人到店铺当兼职助理员并协助打扫。老二埃利奥特的工钱是每小时10美分；巴里比他小4岁，每小时得5美分。在亲身实践中，兄弟俩各自培养了兴趣，最令巴里着迷的是有关推广的工作，而埃利奥特则十分享受管理公司业务。

巴里在家乡的牛顿中学毕业后，决定发展自己在艺术方面的兴趣，进入纽约州的伊萨卡学院修读戏剧，希望将来投身演艺界。不过，当他完成了大学一年级课程后，他却突然发觉原来戏剧并不适合自己。此时，在大哥米尔顿的鼓励和启示下，他转到波士顿大学主修广告和公共关系。

巴里非常感激长兄的鼓舞："于1993年过世的长兄米尔顿，一直是我在创作方面的良师。他曾经在纽约为电影及不同的消费商品制作广告，他告诉我有关工作上的种种事情，与我分享经验，勾起我对广告及营销的兴趣，也使我父亲教我们从错误中学习，教我们勇于承担责任，着眼于培养我们管理的信心。至于我们处事的对或错，反属次要。

决定选择广告为大学主修科目。”

巴里坦承，读大学的收获并不丰富；相比起来，两次实习经验来得更为有趣，也更有教育性。某年，他服务于一家电视台，为本地节目及新闻报道时段内播放的广告提供创意。另一次，他在一份名为《人物》（*People*）的本地杂志撰写电影及戏剧评论。这次实习经验对巴里别具意义，令他找到终生的兴趣，退休后即投入戏剧事业。

尽管巴里觉得课程以外的实习活动，在启发灵感及创作理念上比起课堂让他收获更大，但他人生路上的同行者——未来的太太苏珊·罗勃维兹却是在1969年读大学时有幸结识的。这对恋人有着相同的家庭价值观及人生抱负，在巴里步入23岁时，两人便决定结为连理。

大学毕业后，巴里原本打算到一家广告代理公司当广告撰写员，但当与父亲谈到自己的事业方向时，父亲却建议我的父亲完全站到幕后，让我和埃利奥特任意尝试不同的方法和事物，这使我们成为有创意的人。

他与二哥埃利奥特一起加入乔丹，协助推广业务。巴里三思以后，便依从了父亲的意愿。

巴里回想道："父亲教我们从错误中学习，教我们勇于承担责任，着眼于培养我们管理的信心。至于我们处事的对或错，反属次要。"

巴里坦言，虽然自己做父亲已超过30年，但有时仍不放心完全放手让孩子去闯自己的路，所以他很佩服和感谢父亲对他们的教导方法。他说："我的父亲完全站到幕后，让我和埃利奥特任意尝试不同的方法和事物，这使我们成为有创意的人。"

1973年，埃利奥特和巴里正式接管公司，当时乔丹只是一家拥有少量员工的小规模家具店。兄弟俩明白，如果要建立成功的家族生意，必须拓展想象和视野的空间，将店铺推广至整个地区。他们察觉到大部分竞争对手的经营模式都大同小异，因此要令乔丹在同业中突围而出的话，必须具备别人所欠缺的特色。

在仔细考虑过不同的推广方案后，他们决定放弃在当地报纸上刊登广告的传统做法，改为在电台节目中作宣传，希望突破旧模式，接触更广泛的听众层，借此招徕新顾客。在为推销水床制作的电台广告上，为了减轻成本，他们决定亲自为广告录音，并用与众不同、轻松幽默的对白吸引听众的注意力。结果，他们在电台大声呼喊，令听众感到意外。幸而结果证明策略收到即时效果，两兄弟在瞬间变成当地的名人，而乔丹家具的生意也逐步兴隆，他们也顺理成章地获得家庭成员的刮目相看。

回顾与埃利奥特共同作战的岁月，巴里说："父亲灌输给我们一个非常好的家庭观念，那就是家庭永远排在第一位，绝不能让任何决定引起家庭纷争。埃利奥特和我一直以

> 如果我们通力合作，凝聚两人的力量，既可彼此尊重，亦能推动公司业务的发展。诚然，有时候我们会持有不同意见，但我认为每一个意见或灵感都可以是一个机会。

此为座右铭，所以相处得非常融洽。我俩都明白，如果我们通力合作，凝聚两人的力量，既可彼此尊重，亦能推动公司业务的发展。诚然，有时候我们会持有不同意见，但我认为每一个意见或灵感都可以是一个机会，所以我不太介意采用谁的建议。他可以先尝试他的方案，然后我试行我的构想。事实上，为生意问题而吵架是没有意义的，家庭永远排在第一位！”

巴里想起有一部旧电影可以反映他和埃利奥特的工作关系，那就是《适者生存》(*Avalon*)。剧情讲述一个东欧家庭移民至美国追寻梦想，故事的中心思想在于强调家庭价值观，以及每个人都应该保留对家庭的回忆。

他评论那部电影说：“戏中一幕讲述两兄弟开办一家百货店，在开业日，他们驾车到店铺时，赫然看见顾客排成长龙等待进入店内，两人战战兢兢地对望，心里涌起了一股成功感。这是我最喜爱的一幕，因为它完全捕捉了我和埃利奥特既是兄弟，又是生意伙伴的心情。”巴里觉得最大的喜悦并不是来自生意上的成功，而是与兄长多年来互相扶持的工作和生活方式。

创意是企业成功的必备因素

退休前，巴里是乔丹的首席执行官之一，主要负责业务宣传及推广，而埃利奥特则主管采购部、管理制度及相关的运作事宜。当公司需要注入新理念时，兄弟俩会一起动脑筋。至于为《教父》及《洛奇》等大电影创作广告的长兄米尔顿，偶尔亦会提供意见。

在宣传策略上，埃利奥特和巴里的想法十分一致，他们同样不爱在电台或电视台作传统宣传，也不希望管理一家

> 当一个人有机会去做喜欢的工作，而过程不受传统限制或企业规矩掣肘的话，他就会对工作充满热忱了。

纯粹销售家具的店铺。他们总喜欢从经营中找寻乐趣，要求每一次推广活动都要别具新意。某种程度上，他们想为自己带来惊喜。

巴里得意扬扬地说道："我们要站在边界之外，走出传统的框框，而我们亦是基于这个理念去为公司树立形象。"的确，让思想摆脱常规，不但令乔丹脱颖而出，也使巴里对工作富有激情。以他的想法，当一个人有机会去做喜欢的工作，而过程不受传统限制或企业规矩掣肘的话，他就会对工作充满热忱了。

巴里继续说："可是，很多企业制定的规则和层级制度为公司带来了负面效果，遏制了员工对工作的创意、动力和兴奋心情。假如员工所提的建议并不令埃利奥特和我感觉太疯狂或古怪，我们都会作出尝试。这令我们对探索新方法及找寻乐趣持续保持热情。毕竟，我们是做刻板的家每个人都具有一定的创意才能。只要不被企业规则压制，他们便会发光发热。

具零售生意的，本身就不是一个吸引人的行业，所以绝不能少了创意和热情。”

对巴里来说，创意是让乔丹成功的重要因素。他相信有些人天生就具有创意天分，但这也是可以经后天培养的。

“我想，每个人都具有一定的创意才能。只要不被企业规则压制，他们便会发光发热。举例说，有一天，乔丹的员工全体穿着礼服上班，给顾客留下深刻印象；另一天，他们为每一位购物的客人献上玫瑰花。这些创意累积起来就是我们的形象。如果我们的员工都享受工作，顾客亦会更加尊重我们。”

除了吸引顾客外，巴里和埃利奥特对员工花的心思也不少。某次为了提高员工士气，他们打算向乔丹共1 200名员工表示谢意，但他们故作神秘，向大家发出一份题为“1999年5月10日，特别的一天”的通告。

当天，秘密终于揭晓，店铺关门一天，兄弟俩带领全体员工登上一架私人飞机前往百慕大群岛一日游。每个人都很享受这天假期，在沙滩上尽情堆沙玩耍。而他们更为此次旅程拍下宣传短片，在电视上作为广告播放。这次活动不单吸引了大众传媒的注意，更令一些乔丹的员工成为了当地的红人。

巴里说："这类活动能为工作及生活注入热情。我们在感谢员工努力工作之余，亦间接推广了公司的形象。"

鬼主意多多的塔特曼兄弟，更曾因庆祝公司成功售给伯克希尔·哈撒韦集团，决定自掏腰包，给所有员工送上丰厚的奖金。奖金的发放根据任职的时间来计算，每小时50美分，具体来说，在乔丹服务超过18年的员工，可获得超过4万美元的奖赏。这次的慷慨行动总计让他们花了大约1 000万美元。

诚实的广告宣传有时更胜于取巧或不正确的推销行为。

创新灵感与产品营销

回顾在乔丹的事业，巴里发觉在很多时候，成功和危机都会结伴而来。例如，在1987年他刚踏入37岁的时候，乔丹在马萨诸塞州的艾文市开设了第三家新店，但新店开业竟导致当地发生了有史以来最严重的交通堵塞事故。

“我们的宣传带来了非常好的反应，但却触发了危机。人人都来到新店，门外排了一条需等待两个半小时的人龙。那是2月份寒冷的一天，当我们发觉无法控制顾客流时，便马上在电台广播，恳求人们不要再来，我们甚至答应将优惠期延续数星期。老实说，那的确是一个很糟的日子，但从另一个角度来看，它也是一次很有效的推广契机。”

当巴里和埃利奥特要求人们不要去新店时，人流却不减反增，这让巴里意识到，诚实的广告宣传有时更胜于取巧或不正确的推销行为。

在乔丹正式工作了34年、毕生为公司服务的巴里，2006年决定退休，而兄长埃利奥特则继续带领塔特曼家族第四代人管理乔丹。无疑，乔丹始终是巴里的心血，所以他仍与埃利奥特保持紧密联系，两人不时还会商议推广公司的策略。

2008年3月，乔丹推出的新宣传点子再度受到社会瞩目。当时埃利奥特向顾客保证，若波士顿红袜棒球队在美国世界系列赛胜出的话，凡于3月25日至4月27日在乔丹购买家具的朋友，都可以获得全部货品免单的奖励。这次推广活动不仅牵动了每一个波士顿人的情绪，更推动他们到乔丹去购物。乔丹凭着具创意的宣传手法令公司在行业内一枝独秀，而巴里的创新理念可说是功不可没。

退休后的巴里重拾年轻时的梦想，那就是戏剧和艺术。

不论做何种生意，创意和构思可以来自任何地方，所以，每个人应常常保持友善和善于接纳的态度。

他把在家具生意上的创意套用到戏剧事业上。热爱电影的他，把1988年的电影《偷心大少》（*Dirty Rotten Scoundrels*）搬上百老汇舞台，这一经典剧作盛极一时，并赢得托尼奖（Tony Award）最佳音乐剧男主角奖。

巴里相信，不论做何种生意，创意和构思可以来自任何地方，所以，每个人应常常保持友善和善于接纳的态度。

巴里举了一个例子：一次，他与护肤界的朋友共进晚餐，朋友送他一些可以促进眉毛及眼睫毛生长的精华液，他觉得有趣，便尝试使用。过了一阵子，太太苏珊和儿子斯科特都说他看起来有点不同。数星期后，巴里的朋友都问他是否整容了，巴里便把精华液的事告诉他们，结果人人争相说要试试那个产品。巴里乘势把握商机，与朋友组成团队销售这一产品。2008年，速效睫毛增长液正式推向市场，目前在很多大型药房均有销售。

> 一个好的营销人，不仅要有创意，也要知道如何使用最少的资源去制订收效最大的推广方案。

巴里天生就是一个广告人才，他发觉自己的推广及创作能力让他在很多方面占有优势；不过，他却表示，在事业上仍有赖兄长埃利奥特管理公司的收支预算及财务问题，两人互为补充。他承认需要多花时间学习基本会计知识，因为一个好的营销人，不仅要有创意，也要知道如何使用最少的资源去制订收效最大的推广方案。

成功的标准

随着乔丹步上了成功之路，塔特曼兄弟也逐渐意识到，公司赚钱之余，也应承担企业责任，于是积极支持店铺经营地区内的各个慈善团体，协助改善当地的面貌。例如，乔丹大力支持“面包行动”(Project Bread)，救助马萨诸塞州的饥饿人士。公司又与马萨诸塞州收养资源交换所一个人的成功并非以其所赚得的金钱来度量，而更重要的是看他为自己的人生实践了什么。

(Massachusetts Adoption Resource Exchange）密切合作，协助等待领养的孤儿找寻永久居所及接受良好教育。对于能够回馈社会，巴里感到很骄傲。

对巴里来说，一个人的成功并非以其所赚得的金钱来度量，而更重要的是看他为自己的人生实践了什么。他说："我当然希望赚钱，享受富裕的生活，但我对成功的定义是，如何活出和谐与平衡的人生。例如，安排时间与家人相处、好好打理生意、为慈善事业作贡献、结交知己好友、保持创意，以及在本地受到敬重。"

"当我父亲爱德华在1980年去世时，镇上每一个人都来到葬礼上向他作最后的致敬，他的一生只有朋友，没有敌人，那是金钱买不到的成就。也许你可以从出席葬礼人数的多寡，来判断一个人一生的成就高低！"

现在，巴里和太太苏珊将一年的时间分成两部分：一半若一个人不能富于创意，让自己脱颖而出、受人注目的话，那他就没有令自己成功的基础和条件。

时间住在波士顿，一半时间（冬天来临时），在佛罗里达州的德尔雷海滩避寒。他们有两个孩子，一儿一女。

巴里常常教导他的孩子：“如要在现今的商业社会突围而出，必先具有创意，表现得与众不同，还要构思和采用另类的方法去做事。试想一下，假如你开设一家商店，销售的是与邻店相同的货品，情况会怎样？你会做得比别人好吗？如果你只是在重复别人的方法，或者依照常规去办事，那么做出来的成绩纵使不比别人差，也只是在合格水平而已！若一个人不能富于创意，让自己脱颖而出、受人注目的话，那他就没有令自己成功的基础和条件。”

访问临近尾声，放眼酒吧外的波士顿公园，巴里注意到还未开花的郁金香，他不禁诗兴大发：“人生的前途就似这未开花的郁金香，没人知道它会开出什么颜色，但只要你有创意地幻想和思考，变成什么颜色并不重要！”

乔丹家具

乔丹家具由塞缪尔·塔特曼（Samuel Tatelman）创办。他原是由俄国移民至美国新罕布什尔州曼彻斯特市的鞋匠，1918年开始在流动货车上售卖家具。数年后与姐夫合伙在马萨诸塞州沃尔瑟姆市正式开设了第一家店铺。

1928年，塞缪尔决定要创办属于自己的乔丹家具。没有人确切知道他如何为店铺取的名，但很多人相信他曾有数个名字在脑海里，只是从中随意选出"乔丹"而已。30年代时，塞缪尔的儿子爱德华加入乔丹。之后，公司经历了美国经济大萧条及第二次世界大战，尽管当时它只是沃尔瑟姆的一家小型本地店铺，却仍保持了稳定的业务。

1973年，塔特曼家族第三代人埃利奥特和巴里两兄弟共同成为公司的首席执行官，继承了乔丹家具的业务。1983年及1987年，乔丹家具分别在新罕布什尔州的纳舒厄市及马萨诸塞州的艾文市开设了第二及第三家店铺。

乔丹家具在埃利奥特和巴里的管理和经营下，在短短25年间，由一家只有5名员工的店铺发展至新英格兰的4个店铺超过1 000名员工的规模。艾文店及纳舒厄店更是曾经在一个周末，共吸引了超过4 000名顾客，创下历史纪录。

1999年10月，塔特曼兄弟与巴菲特达成收购协议，具体条款并没有公开，但人们相信收购的金额高达2.25亿~2.5亿美元。

BEHIND
THE BERKSHIRE HATHAWAY
CURTAIN

第五章

与丹尼斯·克劳兹一起增值——艾克美砖材公司

爱因斯坦

数学，是逻辑思维的诗篇。

互联网时代的砖材实业

2000年伊始，人们还沉浸在竞相追逐互联网的那股虚拟的新鲜感中，实业似乎被冷落，不过经善于辞令的巴菲特一说，人们又不敢忽视实业了。在翌年致股东的信函中，巴菲特以别开生面的方式宣布艾克美砖材公司加盟伯克希尔·哈撒韦的消息：“我们必须承认，在20世纪，伯克希尔·哈撒韦的最高管理层曾一度陷于闷局，但今天却已摇身成为少数真正做到虚拟加实体业务的大企业之一。2000年，伯克希尔·哈撒韦与政府雇员保险公司（GEICO）携手发展网上业务，然后我们收购了艾克美砖材公司。我可以相信，我们这次行动令硅谷的高科技公司感受到了我们网上业务加上砖材实业的分量。”

艾克美归入伯克希尔·哈撒韦集团后，经济实力更为雄厚，亦让在2005年接任的第11任总裁丹尼斯·克劳兹（Dennis Knautz）在强化艾克美品牌的政策上得到更大弹性。

他说：“加入伯克希尔·哈撒韦大家庭可以让公司能够持续经营一个良好的业务，我们无须担心短期回报，可放眼长线投资，这减轻了我们的心理压力，也让我们可以集中精力推动公司向前。”艾克美总部占地7.7万平方英尺，是沃思堡市的地标。公司拥有超过3 000名员工、31家生产厂及46个营销办事处，业务遍及全美。

丹尼斯按月将艾克美的财务报告送交巴菲特，而他们亦偶尔讨论报告上的数据和商业气候。丹尼斯自豪地说：“我

丹尼斯与巴菲特合影

大约每年跟他通话7~8次，巴菲特让我留在公司继续做我最得心应手的工作，我就尽我所能做到100分，让他可以专心做他最擅长的事，也就是资金分配。所以若公司没太大问题，我亦不会打扰巴菲特。”

在砖材业工作接近28年的丹尼斯，本身是一位注册会计师。他对数字异常敏感，但他却超越了数字领域，向运营管理进发，将艾克美业务逐步推向前方，更领导员工为顾客提供优质产品和服务，包括驰名业内产品的百年保质单。

在任何情况下，艾克美团队都秉承待客忠诚和保证质量的精神及原则，为美国房地产业提供稳定而优质的服务。正如丹尼斯常挂在嘴边的宣传语：“艾克美砖块建成的房屋，在还清30年的房屋按揭后，仍可抗燃，且绝不褪色。”

从会计学转而投身砖材事业近30年的丹尼斯，诚恳而幽默地道出了他的入行故事。

与数字结缘

1953年，丹尼斯出生于伊利诺伊州芝加哥市，父亲唐纳德·克劳兹（Donald Knautz）在芝加哥的电视台工作，而母亲是一名家庭主妇，在家照顾四名子女。

在童年时代就热爱体育和数学的丹尼斯，在运动场上是冰上曲棍球球手，而在校内亦是数学精英。顺理成章地，他在芝加哥北部的迪尔菲尔德中学毕业后，在大学决定主修数学。

回想选择合适的大学时，丹尼斯说："除数学外，我的另一个梦想便是代表大学担任冰上曲棍球球手，而以冰上曲棍球队驰名学界的丹佛大学，正好是我心仪的大学。可是，在1970年秋季，当我还在高中的最后一个学年时，丹佛大学的学生在校园内静坐，抗议美国发动越战，这一事件迅速成为全国的头条新闻，引起了我父母的担心，所以我另选其他的大学。”

丹尼斯笑着补充道：“其实当初我希望能够离开老家远一点，体验大学生的独立生活，所以去不了丹佛，我便决定到天气极佳的得克萨斯州。我入读了得克萨斯基督大学后，渐渐爱上了这个城市及它的商业氛围，因此决定留下来，在这座漂亮的城市落地生根。”

丹尼斯进入得克萨斯基督大学后，按自己的意愿选择了数学作为主修科目。可是，大学一年级开课后，他却对这个科目产生了怀疑，认为课程内容流于理论化，根本不适用于现实社会。因此，他改而兼修会计和统计学，尝试从另一角度去探索数字世界。他发觉会计学重新勾起了他对数字的兴趣，这一科目既实际，又能帮助分析企业的财务状况，而且会计数字是能够与现实真正接轨的数字。

丹尼斯意识到，理解会计数字只是一个开端，若要深入了解数字的真谛，必须要有周详的规划和策略性的实践方案，于是丹尼斯在主修会计和数学之余，更选读了一些工商管理课程。最终他在校内取得了优异成绩，更获颁全额奖学金继续攻读硕士学位。

不断拓展事业领域

除了在大学上课外，丹尼斯亦于沃思堡市一家名为城市运输服务（City Transit Service, CITRAN）的本地公交车公司当兼职实习生，在巴士站做夜班收银员及协助会计部的工作。

大学毕业后，丹尼斯对前途仍未有清晰的方向。虽然他了解自己在会计及商业管理方面的能力，但他却不确定自

刚参加工作的丹尼斯

己应投身于什么行业，亦不清楚哪种工作可以让他发挥管理潜能。一天，他就选择自己的事业方向一事向城市运输服务公司的总经理请教，出乎意料地，总经理竟邀请他出任公司的会计主任。能够被公司看重，丹尼斯毫不犹疑地接手了这份新工作。

回顾当年，丹尼斯承认，由大学过渡至社会的过程十分顺利。当他在1976年成为城市运输服务公司的全职会计主任时，他对公司的同事和会计部的运作已相当了解，更重要的是，他完全可以胜任自己在新岗位上的职务。

当时正值23岁的丹尼斯知道，要提升自己，必须先取得同事的尊重。他解释说："由一名兼职文员一下子变成部门里所有人的主管，对我来说的确很具挑战性。不论在外表还是工作上，我都要表现得专业，心情是既兴奋又紧张，因为职责不同了，责任也更大了。我必须向大家证明我的能力，以及赢得众人的认同。”

虽然城市运输服务公司隶属沃思堡市工会，但它的运作乃由一家名为麦克唐纳合伙运输公司（McDonald Transit Associates, MCDT）的顾问集团负责筹划。麦克唐纳公司是全国运输系统的管理公司，国内所有运输网络公司的会计主管都必须向它汇报。丹尼斯的新工作是负责城市运输服务公司的会计及财务报告，这让他有机会与麦克唐纳公司的经理们定期聚会，一起就内部账目的审查及运作进行探讨。

丹尼斯在城市运输服务公司服务一年后，便被麦克唐纳公司总公司调升至爱达荷州，出任波伊西市区公交车公司（Boise Urban Stages）的助理经理。新公司经营26条公交车路线，规模比城市运输服务公司更大，年轻的丹尼斯为吸收更多管理及会计经验，便欣然离开得克萨斯州，到新岗位赴任。

前往爱达荷州上任新职期间，丹尼斯与父母到密歇根州度假数天。但在此期间，波伊西办事处出现内部纠纷，而丹尼斯的准上司与麦克唐纳公司管理层发生冲突，毅然离职。这一结果竟为丹尼斯带来了新的机遇。

丹尼斯说："抵达波伊西公司报到时，我马上被任命为驻区经理。翌年开始，我除了负责会计及财务报告外，同时还要负责收支规划和预算、汽车安排和保养维修、人事及劳资关系，以及与政府官员斡旋的事宜。"

1978年，麦克唐纳公司与波伊西公司的管理合约届满，丹尼斯被安排回到沃思堡市办事处，并迅速被擢升为麦克唐纳公司的财务及副总裁。丹尼斯回到自己最喜爱的城市后，更加投入工作。在吸收了管理波伊西办事处的经验后，他体会到善于管理业务比处理财务报表更为重要。

他说："会计数字可以揭示一家公司的整体状况这种说法亦对亦错！数字的确能让你明白一项业务的运作情况，但我天生就对财务工作很有天分，但如果只固守在这方面发展，我充其量只能成为一位会计师。所以，我便为自己设定了一个目标，在成为注册会计师后，争取承担更多的职务。

它却没有告诉你这项业务应该如何运作。我在那时开始掌握会计与管理的真谛。”

丹尼斯当上副总裁后，每天接触的都是高级管理人，他发觉大部分的会计高层都是美国注册会计师，所以若想事业更上一层楼的话，就必须具备同等的专业资格。于是，他在麦克唐纳公司全职工作之余兼读高级会计课程，为专业考试作好准备。

在1980年丹尼斯27岁时，他顺利考取了注册会计师资格。他这样描述当天的心情：“我天生就对财务工作很有天分，但如果只固守在这方面发展，我充其量只能成为一位会计师。所以，我便为自己设定了一个目标，在成为注册会计师后，争取承担更多的职务，学习从财务报表中抽取有用数据，然后规划财务预算，为公司管理层提供改善经营的方案，从而帮助公司进步。”

> 成为公司的首席财务官后，我知道自己在麦克唐纳公司的发展已经到了顶峰……如果我想进一步提升自己，必须投身到另一家更具规模的公司。

丹尼斯顺利达到目标，在获得注册会计师证书后，他很快便被委派了新任务。例如，公司让他处理一个全新的信息管理系统，负责整合财务报表及预算和市场推广程序，使各方面的工作更灵活、更有效率。

1981年，丹尼斯再下一城被提升为公司的首席财务官，负责监督麦克唐纳公司的整体财务运作。两年后，丹尼斯决定离开麦克唐纳公司，为个人事业探索新契机。他这样解释："成为公司的首席财务官后，我知道自己在麦克唐纳公司的发展已经到了顶峰。当时公司的年总收入十分理想，也有继续增长的潜力，但如果我想进一步提升自己，必须投身到另一家更具规模的公司。"

丹尼斯的新机会是城市运输服务公司的前任上司比尔·莱蒙德（Bill Lemond）为他带来的。他感谢莱蒙德说："他就任的新公司艾克美砖材的规模比麦克唐纳公司大好几倍，而艾克美与母公司贾斯汀实业正处于重组期，要将中央会计部及财务部分拆开来，他们正物色一位新主管去监督整个重组过程，而这位主管必须是一名注册会计师。我能预见这个岗位的发展空间，所以表示很感兴趣。在莱蒙德的转介下，我与艾克美的总裁兼首席执行官小爱德华·斯托特会面，并接受了新工作，1982年，我正式成为艾克美的财务主管。”

专一的道理

从服务业转到制造业，丹尼斯需要适应新环境，同时了解砖块的生产程序。尽管砖材工业相对高科技工业而言，听起来档次比较低，但丹尼斯却发觉，这项新业务可以让他学到很多不同领域的东西。

要获得事业的成功及回报，作为一个员工，忠诚及长远思考是最重要的。

他解释说："我以为我的工作都是针对会计、数据处理、信贷及收账等方面，然而我却发现砖块的生产过程中涉及到地质、物理及化学等学问，而后我又进一步接触到仓储控制、物流、销售，甚至品牌等经营策略。"

据丹尼斯回想，在1982~1988年担任财务主管时，他与艾克美的最高管理层紧密合作，通过公司的会计制度，从基层向上改善公司的架构。他通过会计流程了解制砖的每一步骤，并协助公司迈向更有效率的运作。不过，在他投身艾克美之初，他从没想过有一天自己会对公司的情况了解得如此透彻，并因此而成为接任艾克美砖材公司最高负责人的最佳人选。

他诚恳地说："我只是期望成为公司的一分子，然后成为高级管理层的一员，能够参与策划工作，推动艾克美进步成长。我以父亲作为我的榜样，他的表现让我明白，要获得事业的成功及回报，作为一个员工，忠诚及长远思考是最重要的。我父亲在芝加哥WGN电视台工作，开始时是位摄影师，接着晋升为广播部门的管理人。他常常与我分享在公司内成长的喜悦。”

丹尼斯追寻他父亲的脚步，以专一及忠诚的信念来实践人生的每一步。自1982年加入艾克美砖材公司后，他便再没有转换工作的念头了。1988年，他被任命为公司副总裁及首席财务官。2000年，当伯克希尔·哈撒韦收购艾克美时，丹尼斯及公司的其他高级管理人负责监督整个交易的过程。2004年，丹尼斯成为公司的执行副总裁及首席运营官；翌年更升为总裁及首席执行官。

身为首席执行官，丹尼斯强调，艾克美成立已经超过一个世纪。能够成为这一传奇公司的一分子，他意识到他的目标是要改善和简化业务运作，为下一代的领导层作好部署。他以诚实和谨慎的态度为公司筹划未来的60年，甚至100年的计划。原因很简单，前人所生产的砖块，若不能提供一世纪的质量保证，后人便要为此负责任。

他说："砖材业跟售卖汉堡包不同，后者的客人会在翌日就回来光顾，但当一块砖头被砌起来后，便要保证多年无须更换。我们很清楚经营砖材业的要求，所以我们要确保产品可靠和值得信赖。"

针对这一点，丹尼斯希望客人明白，无论艾克美产品出现什么问题，他们都会承担责任。他希望艾克美就是砖材业中最受尊敬品牌的代名词，故此公司推出百年使用保质单，就是要将这一信息更广泛、更清晰地传达到顾客心中。

艾克美目前拥有24家制砖厂、7家混凝土厂及46个营销办事处。由于运送砖块至250~300英里以外地区的费用，往往比生产砖块的成本还高，所以为确保前线的工作流程作为领导者，丹尼斯察觉到，没有一个行业可以让新入行的人马上就看清自己的前景，所以必须学习忍耐，然后慢慢开展事业。

顺畅，丹尼斯每年都会花上60~75个工作日的时间穿梭于各地，以了解各工序的最新状况。

在销售方面，他会将每一个营销点看成是一项独立业务。丹尼斯参考人口统计资料，分析各地区对砖材的需求量，然后相应实施适当的财务方案，调整每个营销点的市场策略。不过，丹尼斯很清楚，运营管理绝不可能是一个人所能监管之事，他说："团队合作是非常重要的。当我着眼于整盘生意时，公司的管理层就集中履行他们的职责，而不同地区的市场部经理则需要与我们同步合作，让大家可以一起进步。"

他承认砖材业已经不再是高增长行业，所以吸引有才干的人入行已非易事。但对于那些希望在传统行业中保持竞争力的中层管理人，只要他们对这项业务抱有长远期望，前途仍然是一片光明的。

> 专一是非常重要的。如果一位新员工对自己的行业专一，他便会因此产生浓厚的兴趣，然后他的工作就会变得很有效率。

作为领导者，丹尼斯察觉到，没有一个行业可以让新入行的人马上就看清自己的前景，所以必须学习忍耐，然后慢慢开展事业。他说："专一是非常重要的。如果一位新员工对自己的行业专一，他便会因此产生浓厚的兴趣，然后他的工作就会变得很有效率。当这个人经历了时间的磨炼，理解了公司的传承文化，他自然会懂得怎样欣赏他的行业。"

当初丹尼斯从没想过投身到砖材业。他笑说，如果说自己喜欢砖材生意，或者很爱砖块这一产品，那很明显是敷衍的对白。不过，他在公司里能够学以致用，发挥在会计及商业策划方面的能力，就足以让他爱上艾克美了。

丹尼斯补充说："生命并不在于做你喜爱做的事，而是喜爱你所做的事！"

为了激励员工爱他们所做的事，以及让他们感受到自己对他们的谢意，丹尼斯每月都会寄出数以百计的亲笔签名

丹尼斯摄于艾克美118周年的庆祝会

感谢卡，也会定期与公司同事联络沟通。艾克美在全美拥有大约3 000名员工，丹尼斯希望每位员工知道，在沃思堡市办事处的他，每天都很关心和感谢每个人在不同岗位上所付出的努力。

不会说谎的数字

丹尼斯是一个充满爱心的父亲和丈夫，每逢周末，他都喜欢与家人到户外享受假期。“在我家附近有一个很美丽的湖泊，我们很喜欢到那儿去划艇、钓鱼。我也会争取时间打高尔夫球，但太太却不喜欢这项运动。”丹尼斯边笑边解释，他与太太康妮·肯普在他任职于城市运输服务公司的时候相识及结婚，至今已携手走过26个春秋。

丹尼斯有一个继子丹尼、一个亲生女儿斯特凡妮。女儿数字可以演绎真实故事，但也会歪曲事实。不过，虽然数字可以欺骗世界，但却不能欺骗数字本身的含义。因此，要看一个人怎样正直做事，从善如流，且看他如何运用数字。

跟父亲一样，是冰上曲棍球球迷，而且也在得克萨斯基督大学上学，主修平面设计。虽然丹尼斯不能在平面设计方面给女儿提供任何建议，但他却提醒她，基本的会计及经商触觉是每一个行业所必需的。

丹尼斯对数字有很深刻的了解，可以跟任何人深入谈论这个话题。不过，他却觉得，如果可以多学习与会计相辅相成的法律知识，他的商业触觉或许会更加敏锐。

他说："年轻时的我并不热衷于政治，但随着年纪渐长，我开始对周围所发生的事及政府的政策越来越关注。我在年轻时不太注意政治事件，但现在却经常被它所吸引。空闲时我会想多看点书，但思绪往往会转移到有关财务的结算单、电子表格及数据分析上。"

丹尼斯相信，会计让他学到了一些基本生活原则。无奈，作为一个会计人员，他知道数字可以演绎真实故事，归根究底，数字本身不会说谎，所以如果你正确地运用它，你便会学到诚实及正直的美德！

但也会歪曲事实。不过，虽然数字可以欺骗世界，但却不能欺骗数字本身的含义。因此，要看一个人怎样正直做事，从善如流，且看他如何运用数字。丹尼斯说："归根究底，数字本身不会说谎，所以如果你正确地运用它，你便会学到诚实及正直的美德！"

艾克美砖材

艾克美砖材是一家为美国国内房屋及非住宅建筑提供砖块、石材的公司，所设计的砖块能抵挡极低与极高的气温，更为房屋买家提供100年可转让的保质单。

艾克美乃乔治·贝内特（George Bennett）于1891年在得克萨斯州沃思堡市西部创办的。作为一位企业家，贝内特注意到得州地区对砖材的需求增长迅速，便决定开设属于自己的生产厂房。自开业起，艾克美经历了多次经济冲击。1907年，当美国陷入经济恐慌时，贝内特突然离世，刚满20岁的儿子沃尔特独自继承家业。经济低迷及一连串罢工事件，都令艾克美的销售额陷入严重的倒退。正当沃尔特努力为公司找寻买家时，得州的米德兰城发生了一场严重的火灾，全城尽毁。为了重建城市，建材需求激增，艾克美亦因这次机遇而走向繁荣兴旺。

1928年，艾克美破纪录售出1.65亿块砖。1934年，当美国经济处于大萧条时，艾克美在经受了首次也是唯一一次的亏损之后，公司的表现便有如其生产的砖块一样坚韧起来，发展日益强盛。艾克美于数次收购和扩展计划之后，营业额从1945年的300万美元激增至1950年的900万美元，创下骄人纪录。

1968年，艾克美砖材易名为第一沃思公司。至1972年，公司与沃思堡市的贾斯汀制靴公司及路易斯安那混凝土产品公司（Louisiana Concrete Products）合并，成立贾斯汀实业，艾克美亦恢复本名，归于合并企业旗下。在新架构下，艾克美由拥有贾斯汀实业20%股权的小约翰 · 贾斯汀及原公司首席执行官小爱德华 · L · 斯托特（Edward L. Stout, Jr.）联合领导，在1976年荣膺美国砖材制造商销售及生产冠军。

1999年，服务艾克美24年的资深管理人哈罗德 · 梅尔顿（Harrold Melton）跃升成为公司总裁及首席执行官。同年，他与80岁且身患重病的小约翰及贾斯汀实业董事会非执行主席约翰 · 罗奇（John Roach），主动联络巴菲特商讨有关出售集团的事宜。终于在2000年6月20日，双方协议以每股22美元或总额约6亿美元的条件，转让贾斯汀实业的拥有权。当时，艾克美的销售额约占集团总收入的2/3。

BEHIND
THE BERKSHIRE HATHAWAY
CURTAIN

第六章

与布拉德·金斯特一起调查业务——喜诗糖果

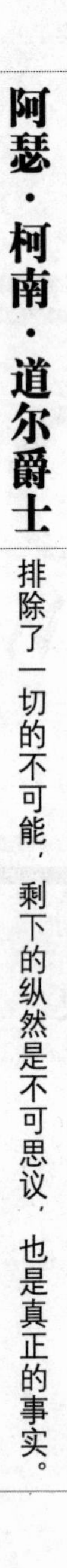
阿瑟·柯南·道尔爵士
排除了一切的不可能，剩下的纵然是不可思议，也是真正的事实。

追求完美，永不妥协

甜、酸、苦、辣，我们的味蕾所能分辨的味道中，以甜为首。甜能令人产生快感，一颗喜诗巧克力的醇香，足以让百岁人瑞回味无穷，每次品尝都不期然泛起一幕幕儿时、豆蔻年华、与爱人把臂同游的片段。口里嚼着巧克力，脸上泛起丝丝甜意，快乐原来是这么简单。

喜诗糖果（See’s Candies）经营近百年，形象难免显得有点儿过时，甚至与潮流接不上轨；不过首席执行官布拉德·金斯特（Brad Kinstler）却抱有另类看法：“我们不是要要在这个追求潮流的时代，接棒管理这家百年糖果店，少一分坚持也不成，让布拉德坚持信念的正是一批忠实顾客的来信。

追赶潮流。毕竟，我们是一家拥有近90年历史的糖果生产商，曾见证过不少潮流走向；我们意识到，只要能保持产品品质，顾客就会回来光顾，所以根本没有追逐潮流的必要。”

布拉德的分析很有道理，正如他所说，喜诗的美妙之处在于它的传承，将同样的味道代代相传，让不同年代的人有缘品尝同样的味道，那是多么美妙。布拉德说：“一位老人家写信给我们，称赞我们一直保持产品品质。她说世界改变了，但喜诗糖果的味道却恒久如一，每一次她品尝着最喜爱的椰子奶油味黑巧克力时，她就会回忆起人生的不同阶段。”

要在这个追求潮流的时代，接棒管理这家百年糖果店，少一分坚持也不成，让布拉德坚持信念的正是一批忠实顾客的来信。这位老人的来信给布拉德带来莫大鼓舞，教他体会到原来吃糖果能唤起许许多多不同的记忆，并再次肯

> “追求完美，永不妥协”是喜诗百年来的信念，也是伯克希尔·哈撒韦秉乘的文化。

定了喜诗糖果“追求完美，永不妥协”的口号。这是喜诗百年来的信念，也是伯克希尔·哈撒韦秉乘的文化，并且一直是布拉德工作上的座右铭。

寻找伯克希尔·哈撒韦文化

管理世界知名的巧克力及糖果生产商喜诗糖果，是巴菲特于2005年给予布拉德的一项重大挑战。回想起来，布拉德坦言非常兴奋：“巴菲特构思了整个安排，对我来说，喜诗比起我之前工作的费切海默兄弟公司（Fechheimer Brothers）规模更大，而且公司品牌极受顾客爱戴，我当然不会拒绝这份工作。”

2006年正式接任喜诗首席执行官一职的布拉德，凭着个人的分析技巧及强大管理团队的支持，扭转了喜诗的业务。这位刚上任的首席执行官深明喜诗的宗旨是要保持产品的高品质，故此他坚决否定使用平价或低档次材料以降低成本的做法，而会作多方尝试，从另外的角度去改善公司的运营状况，例如运输物流、生产过程及员工效率等。

不到两年时间，布拉德已经确定了提升销售及生产的方法，在某些地区集中推介高毛利的糖果，以及在其他可能的范围内降低开支成本。这些措施令公司的赢利增加了50%。

布拉德的努力吸引了巴菲特的目光，后者特意在2008年的董事会主席致股东函上写道："布拉德说他采用垂直整合方式，直接控制加州的三家生产厂，使生产策略更灵活和敏锐地适应了市场需求。喜诗没有花大量金钱去拓展或推广产品，所以生产线变动不大，但这一生产策略大大降低了生产成本及开支。"

> 巴菲特做生意能着眼于长线回报，他不期望一笔生意可以由第一天开始便经营得很理想。他明白商业道路有时难免会崎岖不平，所以当问题发生时，我们只要解决它，让公司继续向前，那便是正确的做法！

自从布拉德接任喜诗首席执行官一职后，他与巴菲特的接触便更加频繁。在此前，布拉德仅需向伯克希尔·哈撒韦的运营总监迈克尔·戈德堡（Michael Goldberg）汇报工作，但转任喜诗糖果的首席执行官后他便直接向巴菲特汇报业务。尽管他们两人并没有特定会议时间表，但布拉德每月必须向巴菲特提交财务数据及个人对业务的发展意见。如果巴菲特希望得到更详细的资料，他们便会在电话上沟通。

布拉德十分欣赏巴菲特处理业务的理性态度。他说："巴菲特做生意能着眼于长线回报，他不会无理要求我们在任何经济环境下保持稳定回报及收入增长，所以我们可以合理地作长线计划。他也不期望一笔生意可以由第一天开始便经营得很理想。他明白商业道路有时难免会崎岖不平，所以当问题发生时，我们只要解决它，让公司继续向前，那便是正确的做法！"

布拉德与巴菲特一起视察喜诗糖果的工厂车间

巴菲特让伯克希尔·哈撒韦旗下公司的高管独立自主地管理业务，可以让大家对公司产生强烈的主人翁意识。

布拉德认为，巴菲特让伯克希尔·哈撒韦旗下公司的高管独立自主地管理业务，可以让大家对公司产生强烈的主人翁意识。他补充说：“这令我们对管理业务产生信心及热忱，就好像公司是属于自己的一样。尽管伯克希尔·哈撒韦的企业文化独特，但我强调其他公司不应盲目追随像伯克希尔·哈撒韦一样的企业模式，因为每家公司都应建立自己的形象和理念，这才是最重要的！”

其实布拉德与巴菲特结缘于1987年。当时公司运营总监戈德堡正为伯克希尔·哈撒韦的保险部招聘管理人员。而他并不热衷于聘请具备保险背景的人才，相反，他希望在其他行业找一位有才华的人，去检讨并改善眼前的保险业务。在顾问行业吸收了广泛分析经验的布拉德，正好是一位合适人选。

“在奥马哈市的伯克希尔·哈撒韦集团工作是我的梦

想。因为我在奥马哈市长大，所以我非常了解伯克希尔·哈撒韦的历史背景及公司理念。能够成为旗下的一分子可以说是一种光荣。”

当年布拉德给巴菲特寄去的履历令巴菲特注意到这位年轻人。有趣的是，本书的所有受访者当中，布拉德是唯一一位向伯克希尔·哈撒韦求职的高管。就这样，布拉德加入了伯克希尔·哈撒韦的大家庭，历任集团辖下的附属公司，包括内布拉斯加州意外保险公司（Cornhusker Casualty）、堪萨斯州火灾及意外保险公司（Kansas Fire and Casualty）、美洲大陆分水岭保险公司（Continental Divide Insurance）、赛普里斯保险公司（Cypress Insurance）及费切海默兄弟公司。

时空转移，辗转经过了20多个年头，布拉德坐在喜诗大本营旧金山的写字楼里，向笔者娓娓道出了他的管理经验，以及个人的分析能力如何让他在伯克希尔·哈撒韦集团中获取了不同的工作机会。

分析能力的培养

1953年布拉德在内布拉斯加州的奥马哈市出生，父亲威廉是钢琴技师，母亲莎伦是家庭主妇。在布拉德就读幼儿园时，举家搬到印第安纳州找寻商机，至布拉德高中二年级时，全家再度回到家乡。布拉德是奥马哈高校数学科的高才生，获得当地工程师学会颁赠的奖学金，入读内布拉斯加州大学，修读土木工程。

回想起年少的时光，布拉德说："我原本以为学数学的优势可以令我成为一位优秀的工程师，但在修读了不同科目后，我却对这一科目失去了兴趣。因此，我决定暂时告别校园，于1972年加入了美国空军部队。”

在接受了体能及评估测试后，布拉德被分派到国防语言学院学习俄语。当年只有19岁的他，在其后的两年驻守于阿拉斯加州的费尔班克斯城，执行飞行及侦察任务。“这是我人生的第一课，它让我学到了细心分析每项任务的重要性。我也体会到一些不起眼的事情，却往往会让人有惊人发现。”

1976年中离开空军部队时，布拉德已有了清晰的人生目标：他决定回到大学主修政治。他虽然爱上了这个科目，并打算在毕业后进入法学院，但人生的变幻令他不由自主地改变了初衷。1977年，刚踏入24岁的布拉德成家立室，且很快就有了孩子。身为父亲的他不能入读法学院，他要立刻投身社会，努力赚钱养活妻儿。1979年，他取得政治学学位后便四处寻找工作。

当时美国正受着高通胀和高利率的冲击，就业市场处于艰难时期，要找一份适合的工作可不容易。布拉德经过一番努力，终于由朋友介绍找到了一家从事设计和制造养猪设备的小型公司，工作是负责监督生产过程。他坦言这是一份很古怪的工作，所以工作两年后便离职，转投向以芝加哥为基地的亚历山大保富顾问公司（Alexander Proudfoot Company）做商业分析顾问。

在接下来的7年里，布拉德打好了商业管理的基础。他不但加强了对不同行业的认知，而且学会了怎样处理不同情况下的企业危机。当时他的工作主要是改善不同行业的生产技巧和效率，如衡量员工完成一件工作的时间，或计算完成一件工作所需的劳动力与机器的比例，接着就是评估和分析公司的整体运作，最后向客户提交改善工作流程和效率的意见。

布拉德与笔者在喜诗糖果发明者肖像前合影

虽然实施改革对改善业务非常重要，但找出改革的正确原因更为关键。

“在顾问公司我了解到不同行业的特性，但我亦体验到每家公司最终的营销之道或管理概念都是大同小异。只要详细调查和研究每盘生意的运作和流程，就可以找出改善业务的方案。归根究底，当你懂得由高层至基层仔细观察整个业务的每一构成部分时，你就可以找出它的优势和劣势了。只要我们的结论是合乎逻辑和事实的，那么每家公司就都有改善的空间。”

布拉德举了一例：假若一件产品的销量极高，但毛利极低，以理性分析，这件产品的风险投资与回报是不成正比的，所以理应停止生产，并把资源投放于毛利更高的产品上。但是，作为管理层也要考虑到忠实顾客及投资者利益来作合理判断，所以他的任务就是改善工作流程而把成本降低，换取理性及人性分析的双赢。

布拉德亦告诫说，虽然实施改革对改善业务非常重要，但找出改革的正确原因更为关键。他注意到，很多公司为改革而改革，不时作出了误导的管理报告或不实际的员工考核。他在顾问公司学到怎样能够逻辑地设计和审订管理报告，用清楚、易明和标准的评审工具来分析公司改革的需要。

尽管在保富公司工作可以吸取很多商业经验，但因工作所需，布拉德经常要穿州过市，所以他在1987年决定离开公司。他说："基本上，我每星期都要穿梭不同州份。我在星期五晚上回到奥马哈的家后，隔天又要离开，7年里总是重复这样的生活，我希望可以停下来。"34岁的布拉德离开了保富公司，向美国国内一家重要企业、总部位于奥马哈市的伯克希尔·哈撒韦集团申请工作。

百万支票的经历

布拉德加入伯克希尔·哈撒韦企业后，被选派到内布拉斯加州意外保险公司负责产业和意外保险方面的业务。

“戈德堡跟我说：‘若你没有进步，你便会被开除！’他的意思很明确，他聘请我，并不是让我在公司里闲荡或学习保险业，而是要我干出一番漂亮的事业，提升公司业绩。”戈德堡的话虽然说得很重，但其实也是在鼓励布拉德，让他得以进步神速，懂得以公司老板的角度去考虑事情，并以管理人员的身份进行理性决定，也就是说，伯克希尔·哈撒韦的企业文化让他看清了自己的真正潜能。

在内布拉斯加州意外保险公司时，布拉德负责处理产业及意外索偿的会计工作，需要学习法律及了解各州的侵权定义及保险条例，学会对保险赔付个案及价格风险作出最恰当的判断。

1990年，布拉德与另一位公司管理人员罗德·埃尔德雷德（Rod Eldred）共同管理多家保险公司，如内布拉斯加州意外保险、堪萨斯州火灾及意外保险和科罗拉多州的美洲大陆分水岭保险，业务做得有声有色。出色的表现令布拉德获得赏识，一年后，他被派往赛普里斯保险公司担任总裁。

在保险公司当总裁的布拉德，绝不会忘记当年处理大量劳工补偿及赔付的个案。他说："这个业务中一个最重要的部分，就是处理赔付问题。当你要处理牵涉数百万美元的赔付案时，你必须尽最大努力去了解这些个案背后的真相，尽可能有效地分析和解决一切的疑点。"

布拉德学会了不论是为赔付进行辩护，还是要作出合理赔偿，采用周全和平衡的态度，就是最好的解决方法。"这

布拉德

是你在学校里绝对学不到的，你只能在工作上反复摸索、分析事实和补救方法，然后预测结果。而亲笔签署一张7位数字的支票，的确可以令你清楚知道你是确确实实地与金钱角逐。”

回顾自己的保险事业，布拉德认为20世纪90年代的业务表现最为反复，那时的赔付成本逐步增加，尤其在加州地区，当地的保险规管局废除了固定利率制度，推出开放利率政策，旨在催化保险公司就保险费方面互相竞争。这个新机制无疑对受保公司有利，却对保险业造成严重打击，令保险费平均向下调整了50%。

积累了超过12年的保险业经验，布拉德成为了一位具分析能力的优秀管理人。当公司面临沉重打击时，他运用全新的保险规章稳定了业务流程，而他提升效率的能力及降低公司开支的方法，更让他变成一位灵活多变的商家。

不论是巴菲特或戈德堡都注意到他的长处，所以在1999年，他们便给了布拉德另一项新的挑战。

变身企业危机处理专家

原先由戈德堡管理的费切海默兄弟公司，是一家专为军队、消防及邮政部门服务的制服生产商，由鲍勃（Bob）和乔治·赫尔德曼（George Heldman）两兄弟经营，但在鲍勃过世及乔治退休后，有多位临时董事长先后走马上任。考虑到公司要有稳定的管理人员去理顺整个业务，具改革公司运营智慧的布拉德成为最适合的人选，于是戈德堡向他打听是否有意接任总裁一职。布拉德立刻便答应了。

布拉德花了差不多9个月时间将已经上了轨道的保险业务交与团队后，在1999年正式赴任。虽然新上任的布拉德

> 一家已建立良好商品形象的公司，唯一要改善的，便是增加员工归属感及提升员工士气。

不太了解制服生产这个行业，但他解释道：“对于投身于一个我并不完全熟悉的业务我绝不会感到不安。当我仍然是一位商业顾问时，我的工作就是要迅速地分析不同公司的业务状况，然后理性地给他们建议改革方案。进入费切海默兄弟公司后，我发觉这家公司的业务已经非常成功，生产的商品十分畅销，所以我的角色只是安定军心，从而加入有效率的方法来改善公司架构。”

为了深入了解费切海默兄弟公司的业务状况，布拉德用了很多时间与员工沟通，了解他们在公司里的角色。他相信，一家已建立良好商品形象的公司，唯一要改善的，便是增加员工归属感及提升员工士气。他慢慢向员工注入信心，厘清不同岗位的工作范围，让他们更了解公司及业务的前景，并维持公司最高管理层的稳定性，此后团队的工作便更加称心如意，事半功倍。

为公司组织一支有才干的团队是很重要的！虽然要找到真正有才能的优秀管理人才绝不容易，但这却是一位总裁的首要任务。

掌握了内部形势后，他的下一步就是评估竞争对手。古语有云，知己知彼，百战不殆，单纯了解自己并不够，还必须了解对手的优点而多加学习，并改正自己的缺点。布拉德了解了对手的商品后，将自家的品牌重新在市场上定位。而这一切都由了解自己的竞争优势开始。

从赛普里斯保险公司至费切海默兄弟公司，布拉德体会到人才的重要性。“你本身可以是一位面面俱到的管理人才，可是一旦你发生任何意外，公司便会陷入危机。所以，为公司组织一支有才干的团队是很重要的！虽然要找到真正有才能的优秀管理人才绝不容易，但这却是一位总裁的首要任务。”

“挑选人才是一门艺术，而不是科学。你永远不会知道自己是否找对了合适的人选，直至你将他安置在管理岗位上，然后观察他的表现。我认为，找人才并没有对或错之分，而有潜力的领导者常会以不同姿态出现，因此你无法说出谁会是下一任领导人。”

布拉德最后说：“我从来不知道自己是否是一位出色的领导者，但我从不同的管理岗位上钻研管理学问。我很荣幸得到巴菲特的赏识，将我从保险业带进制服业，最终委任我到全球有名的喜诗糖果当首席执行官，我相信我的成就，得益于我那份追求完美、永不妥协的精神！”

喜诗糖果

喜诗糖果创业于美国西海岸，以生产优质糖果和巧克力久负盛名。旗下零售店铺全部是经典的黑白设计，并坚持以传统的方法生产糖果。企业格言是："追求完美，永不妥协！"

创办人查尔斯·西伊（Charles See）原是加拿大一位药剂师，无奈于自己的两间药房在一场森林大火中被摧毁，他偕妻子、两名子女及65岁的母亲玛丽·西伊移居至加利福尼亚州。1921年，查尔斯在加州洛杉矶市开设了一家糖果店，采用母亲的家传秘方。原来玛丽是一位制糖专家，这位老祖母的肖像还经常在品牌推广的活动中被广泛应用，代表品牌所传承的家族美德和文化。

20世纪20年代后期，喜诗糖果已发展至拥有超过10家零售店。为了凸显品牌特色及对产品品质的承诺，喜诗糖果策划了一次推广活动，找来一系列与众不同的黑白色的哈利摩托车，旨在传达准时送货的信息。踏入30年代，美国陷入经济大萧条，但喜诗的业务却持续增长。居安思危，1935年，查尔斯决定前赴旧金山探索新商机。此行最终促成他翌年在当地开设首家零售店，是年底，喜诗已经在市内拥有共9个分销点。

但对喜诗来说，真正的考验是在第二次世界大战期间，因为当时的砂糖、牛油及其他生产糖果的材料都要限量供应。秉承“追求完美”的企业格言，喜诗糖果宁可减少产量，也要坚持使用最优质的食材。奇货可居，公司唯有缩短每天的营业时间，这使得热爱喜诗的顾客经常要排队轮候。

1949年，查尔斯离世，大儿子劳伦斯正式接管公司。适逢战事结束，食物配给政策得以废除，美国经济得以恢复增长。劳伦斯甫一接手便积极扩展业务，除了增聘员工至1 000名、增设零售点至124个，更在加州设置两个生产厂。1969年，57岁的劳伦斯逝世，弟弟哈里继承家族业务出任总裁一职。可是哈里对糖果生意完全不感兴趣，决定将公司出售。那年是1971年，喜诗以年销售超过2 800万美元的骄人成绩，吸引了包括伯克希尔·哈撒韦公司的沃伦·巴菲特在内的很多买家。是年，巴菲特通过伯克希尔·哈撒韦控股的蓝筹印花公司（Blue Chip Stamps），成功地以2 500万美元购入喜诗糖果。

BEHIND THE BERKSHIRE HATHAWAY CURTAIN

第七章

与玛拉·戈特沙尔克一起展望未来
——娇贵厨师公司

亚伯拉罕·林肯

我走得慢，但我从不后退。

美食与人生

胡椒核桃咸味芝士饼，一碟仅花十几分钟就能做成的美食，原来是专门从事厨具直销的娇贵厨师公司（Pampered Chef）总裁玛拉·戈特沙尔克（Marla Gottschalk）参与研发的食品之一，也是她个人最喜爱的小点心。

玛拉说制作胡椒核桃咸味芝士饼所花时间有限，只需短短数分钟准备，然后放进烤炉烤10分钟便可完成，前后只要15分钟左右，便能为亲朋好友带来这份美味。玛拉扬扬

玛拉认为人生就有如食谱，成功最重要的材料是热忱，
假若欠缺了它，生命顿变乏味。

得意地说："你的客人可能以为你花了数小时去制作这碟超级美味的小点心呢。"

玛拉认为人生就有如食谱，成功最重要的材料是热忱，假若欠缺了它，生命顿变乏味。虽然玛拉一直以此为人生信条，但她不得不承认，直至加入了娇贵厨师，她才真正体会到其中的意思。

"饮食、烹饪和工作，是三件不同的事情。从前的我没法想象可以找到一份将三者结合为一的事业，但娇贵厨师却令它变成事实。我发觉当我渐渐进步成为一个更佳的管理人员时，我也间接变成了一个更出色的厨师！"她这样解释个中因由。

相对其他公司来说，娇贵厨师的管理层架构比较简单。因为公司的销售模式主要是通过家庭式聚会或小组示范，直接向顾客推销产品，所以玛拉作为高层领导人必须参与所

有的推销过程，才能让她从第一线清楚地观察整个业务的运作。

谈到这里，她表现得颇为雀跃："我十分享受亲历亲为的管理模式，能够投入烹饪示范，不但让我更有效地探讨业务运作，为公司制定更明智的决策，而且还可以训练我成为一位更好的厨师。我品尝过公司出版的所有食谱中的美食，当中有许多更是我亲自尝试制作的，这就好像是为公司食谱作严格测试一样。我们的卖点是做法简单，如果我在制作时遇上麻烦，那餐饮顾问也会在推广时遇上同类困难。我们要确定，每一位使用娇贵厨师产品和食谱的厨师，都可以做出令人印象深刻的美食。"

玛拉未加入娇贵厨师之前，其实对直销商业模式并不熟悉，但在猎头公司的极力游说下，她决定接受这项新挑战。2003年底，她离开工作了14年的卡夫食品（Kraft Foods），正式加入娇贵厨师公司，成为首席运营官及总裁。2006年中，她更晋升为公司的首席执行官，与公司创办人多莉丝·克里斯托弗（Doris Christopher）紧密合作，并不时向巴菲特直接汇报进展。

凭着她扎实的管理经验，玛拉在这些年来落实了强化及简化公司的经营策略，同时亦改善了产品线及演示工具，并让公司的餐饮顾问在向潜在顾客作烹饪示范时有更充足的准备。

她发觉娇贵厨师的业务气氛跟她的前雇主卡夫公司截然不同。据她观察："娇贵由伯克希尔·哈撒韦全资拥有，最明显的不同之处是管理模式，巴菲特在管理上采取不干预政策，只要管理人都明白他的期望，他在过程中绝不会扮演主动的角色。不过，当管理人在任何时候需要他协助时，他都会乐意给予建议和意见。"

能够在巴菲特的指导下工作，以及直接获得他的经营建事业成功的一个重要因素，就是保持坚定和始终如一的简单信念。

议，玛拉感觉很荣幸。她也很感激伯克希尔·哈撒韦为她提供了一个稳定的工作环境，让她可以全心全意地投入工作。与此同时，与克里斯托弗共事也是一件乐事。

她说："克里斯托弗很清楚直销市场的运作。她是公司的灵魂，也是各餐饮顾问的模范。她不但工作勤奋，而且经常向公司里的同事灌注信心，以身作则地推动每一个人努力向前。她向大家证明了，若她能做得到，公司上下的营销顾问也必定做得到。"

转眼间，玛拉在娇贵厨师的日子已踏入了第七个年头。她坐在距离芝加哥一小时车程的艾迪生市的办公室里，深情道出她对工作的热诚，以及在事业上所走的每一步。作为本书仅有的两位女性受访管理者，玛拉表现了她对成为一位出色管理者的坚定意志，也阐释了事业成功的一个重要因素，那就是保持坚定和始终如一的简单信念。

玛拉（左）与娇贵厨师创始人多莉丝·克里斯托弗合影

展望未来

1960年出生于印第安纳州布卢明顿的玛拉，与三位兄弟在商业的氛围下成长，其父理查德·柯里是一位生意人，经营家族的汽车经销业务，母亲帕特里夏是一位家庭主妇。

她回忆说："汽车经销生意乃由我的曾祖父创办。祖父接管时，他是看管业务多于经营生意，直至父亲继承家业，他将经销店迁到较佳的位置，扩大服务范围，扩充店铺门面。他还加入同行的机构组织，借此与业内的成功人士交流经验。他对这门生意充满热忱，持续改善着经营条件。"

耳濡目染父亲对工作的投入，玛拉也希望跟随父亲的脚步。17岁那年，她便跑到店铺里做兼职，帮助处理保单赔付。工作的过程中她认识到沟通的重要性，也体验到一门生意的不同层面。这一工作环境深深地吸引着她对商业的兴趣。

高中毕业后，玛拉并不热衷于进入大学，反而渴望投身社会去工作。她认为实践人生目标十分重要，而校园生活与现实脱轨，所以找到一份理想工作，懂得维持生计才是正确目标。于是，玛拉在银行担任出纳员，不久，她到诊所任办公室经理。

投身社会的玛拉起初的确觉得工作非常新鲜有趣，但3年后，她开始察觉到自己的弱点。她说："那些赚钱能力高的人都具备高学历，这是我所欠缺的，那都是因为我太急于工作赚钱的缘故。"

玛拉明白了学历的重要后，马上改变计划，进入印第安纳大学继续学业。回首青春年少的决定，她无悔当初："重回校园的感觉十分好。我将全神贯注于学业，并将自己仅有的工作经验用于学习领域。对我来说，其实回到校园是一个很大的挑战，因为我再没有收入支付我的开销，换句

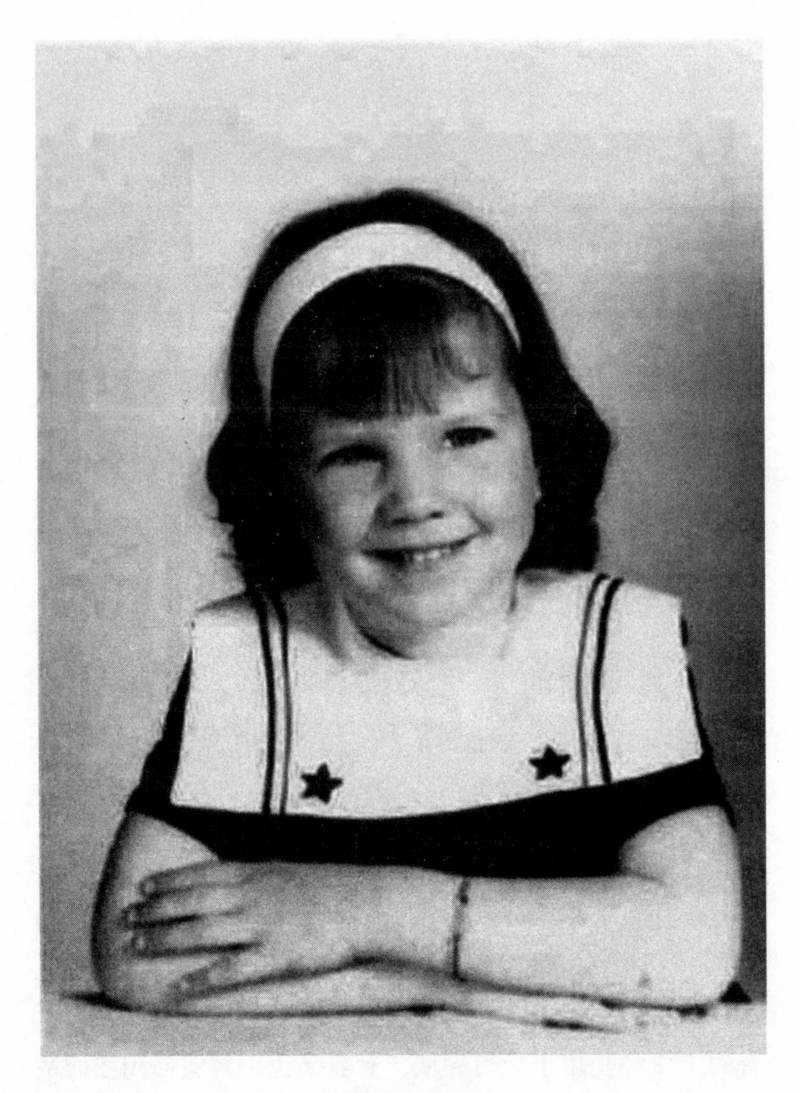

年幼时的玛拉

话说，我需要重新调整我的时间、财务状况及生活模式。”

在职场上摔打了三年的玛拉，深明学历的重要性，她也预见到高学历会为她带来更美好的将来，所以她毫不犹疑地打定主意，以会计为主修科目，因为她知道这是事业上不可或缺的知识。

大学刚开始时，玛拉已十分独立，她拥有属于自己的寓所，并承担着所有的生活开销。她喜欢边读书边工作的生活模式，这令人生更加充实，所以她在课余时间跑到餐厅做兼职，赚取整个大学期间的学费和生活支出。拥有一定的工作体验让她的思想较同学们成熟，尽管那时候她尚未找到生命的终极目标，但却比别人有更清晰的方向。

24岁大学毕业后，玛拉随即受聘于毕马威会计师事务所（Peat, Marwick, and Mitchell，即KPMG的前身），在审计部任会计文员，负责审核不同公司的账目等基础工作。起

> 与此同时，我亦渐渐发觉审核和会计工作是专注于回望过去，而我清楚地意识到自己并不该只是往后望，而更应向前看。

初，她认为这是很好的学习机会，但不久就觉得工作变得单调而乏味。

玛拉说："能够从一个初级职员的角度去观察不同类型的业务，确实是很好的体验和机会，于是我督促自己考取注册会计师资格，希望能被业界认同。与此同时，我亦渐渐发觉审核和会计工作是专注于回望过去，而我清楚地意识到自己并不该只是往后望，而更应向前看。辗转在会计师事务所数年后，一天我突然觉醒原来自己并不想成为一个核数师，我决定向前进发，找寻别的工作机会。"

1989年当玛拉踏入29岁时，她转职到卡夫食品担任高级财务分析员。卡夫食品是一家很受人敬重的公司，新工作让她有机会与企业管理人共事，她希望从中得到更多学习和发展的机会。

玛拉的职场肖像

我一直向前看，努力工作，并期待每一个机会。我从不拒绝那些看起来不起眼的工种，只要我认为能从中学到新事物，或有机会被赏识，我便会努力去干。

从卡夫到娇贵

加入卡夫后，玛拉被派往集团财务部工作，负责为不同部门作财务预算，以及为高级管理层作财务分析。日子久了，她的能力渐渐被认同。在往后数年间，她轮流到各个职能部门工作，在这些部门工作的经验让她了解到这家龙头食品公司的架构及运作。

卡夫很鼓励员工轮流到不同部门工作，以了解公司的具体运作。而玛拉就从中获取了很多不同的工作机会，例如管理销售部的财务、监管投资者关系，以及在卡夫的谷物食品部门担任执行副总裁及总经理。

回顾在卡夫的事业发展，玛拉认为自己之所以表现突出，纯粹是因为持续努力地工作，以及对事业的坚定决心。

她语带谦逊地解释说："我一直向前看，努力工作，并期待每一个机会。我从不拒绝那些看起来不起眼的工种，只要我认为能从中学习到新事物，或有机会被赏识，我便会努力去干。其实，接手一件棘手的工作就是得到一个让你表现自己的机会，假如你能够将事情由逆转顺的话，那就是你发光的时刻。”

为了保持个人竞争力，玛拉在1991年在西北大学凯洛格商学院在职攻读工商管理硕士学位。她说：“这个课程与我的工作可谓相辅相成，让我有机会同时了解世界级的学术及专业知识及理念，同时又将工作上的经验融入进论文中，而学业上的小组讨论和功课，则令我认识到团队及沟通的重要。”

就个人发展来说，高等教育让玛拉学到更多知识。就专业领域而言，工商管理硕士学位提高了她在管理工作上的认可度。“卡夫食品公司内大部分的高级管理人员都具有硕要保持个人状态的稳定，除了要不断自我增值外，还要坚持个人原则，不被外人阻挠。

士学位，他们鼓励我同样去考取一个硕士学位。他们说服我的理由是，假如有两个人竞争一个空缺的职位，那个有硕士学位的人必定有较大优势。虽然这让我听起来不好受，但无疑是很好的建议。”

要保持个人状态的稳定，除了要不断自我增值外，还要坚持个人原则，不被外人阻挠。“很明显，我身边有很多诱惑驱使我转换行业，或跳槽到其他公司，但我很享受我的工作，所以选择忠于自己在卡夫的事业。因为我对食品行业有一种热忱，所以我便依照自己规划的事业蓝图去做事，最后，我得到公司赏识，逐步向上晋升。虽然我没有转行的念头，但在2003年时，当猎头公司提出了娇贵厨师的征才信息后，我深深地被打动了。我跟家人商量过后，决定接受这一新的挑战。”

工作并非你人生的全部，但你的人生却包含着工作，所以能够找到一份自己喜欢的工作是十分重要的。

工作与生活的平衡之美

现任的娇贵厨师公司总裁玛拉认为，成功的条件是热爱生命。她说："工作并非你人生的全部，但你的人生却包含着工作，所以能够找到一份自己喜欢的工作是十分重要的。这或许不会是你人生的第一份工作，但你却要努力发掘自己对工作的热忱，然后找寻自己的前途。"

玛拉表示，热爱生命之余如想在工作上更上一层，自我激励和自律是很重要的。在娇贵厨师工作，所有顾问都必须为自己制定工作时间表。作为直销公司的营业顾问，老板就是你自己，你要为自己订立目标，然后努力执行。虽然有少数顾问会视此为一个副业，但大部分人却是态度认真，希望为公司增加销路，为个人提高收入。

"除此之外，直销的第一个守则就是要相信你的产品。

玛拉的生活秘诀就是将所有东西保持简单。她凭着坚定的信念及忙碌的工作日程，使生命变得既精彩又充实。

如果你不认同你卖的东西，你要如何说服别人购买呢？我们有多样化的产品，供我们的营业顾问去选择推销。只要他们熟悉产品的特点，就会有信心去推销！”

回顾2007年爆发的严峻金融危机，玛拉认为在社会经济倒退时，娇贵厨师与顾客的联系显得格外重要。当人们要节省开支时，就会发现娇贵的美妙之处，因为产品既优质又耐用，而食谱既省时又省钱。很多主菜单的烹调时间少于30分钟，而每份的成本大约只要2美元。

玛拉道出了公司的另一个美妙之处：“我们造就了工作机会。经济衰退令很多人失业，但我们却提供了机会让他们赚取外快。很多人只需要每月多赚几百美元，就可以实现收入目标，娇贵厨师公司正好为他们提供了这个机会。”当经济衰退、失业率上升时，人们都倾向于加入直销行业，在这个时候，娇贵厨师的商业模式提供了相当多的就业机烹调和人生一样，要经过不断尝试与磨炼才会取得成功，我们要不断尝试、永不放弃，即便步伐缓慢，只要继续向前，必定会走向成功。

会，直接帮助了经济成长。

玛拉有一个很紧凑的工作时间表。每天早上，她首先要检查两个数字，那就是每日的营业额和餐饮顾问人数。营业额固然重要，但加入或离开公司的人数更为关键，因为顾问是公司最重要的资产。他们每个人都代表着一个零售点，也是与客人直接接触的最前线，所以每位都是为公司赚取收入的要员。

玛拉每天都在构思如何令顾问们提高销售额，让前线经营得更好。她通过会议与高级专业行政人员讨论公司的业务并交流意见，研究如何改善公司的各个方面——包括产品以至烹饪演示活动。

其实，玛拉也不是一味只顾工作，她很会将自己的时间平均分配到工作和家庭上。在与丈夫安迪·戈特沙尔克（Andy Gottschalk）在1989年结婚后，她现已育有两个女儿，简单的生活靠的是一份热忱。只要你专心工作，用心玩乐，人生自然会变得娇贵。

现在都已是亭亭玉立的少女了。

玛拉表示："我的人生有两个重心，就是我的家庭和工作。我是一个很简单的人，只单纯地专注于生命中的这两个方面。业余时间，我会出席女儿的游泳课支持她们；度长假时，我们会一起去滑雪。"

玛拉的生活秘诀就是将所有东西保持简单。她凭着坚定的信念及忙碌的工作日程，使生命变得既精彩又充实。在娇贵厨师公司学习烹饪的过程中，玛拉领悟到烹调和人生一样，要经过不断尝试与磨炼才会取得成功，我们要不断尝试、永不放弃，即便步伐缓慢，只要继续向前，必定会走向成功。

玛拉总结说："简单的生活靠的是一份热忱。只要你专心工作，用心玩乐，人生自然会变得娇贵。"

一个和谐的家庭——玛拉和她的丈夫安迪、女儿阿曼达和罗拉

娇贵厨师

娇贵厨师是一家高级厨具直销商，于1980年由多莉丝·克里斯托弗创办，当年她只有35岁，是伊利诺伊州芝加哥郊区的一名家政教师。

厨艺及教学技巧出众的多莉丝和丈夫杰伊，当年策划了一个名为“娇贵厨师”的烹饪演示活动，由多莉丝向少数观众示范烹饪，同时推销厨房用具。多莉丝在1980年10月15日首次举办了这一烹饪演示活动，地点选在她一位教会朋友的家中，当时邀请了9位女士出席活动。多莉丝虽然紧张，但却作出了很好的示范，在活动中售出了价值178美元的厨具。之后更有4名女士跟她接触，希望她能够主持更多的烹饪演示活动。

1980年，多莉丝共举办了18次入厨演示活动，总营业额达到6 689.78美元，也就是平均每次活动获得372美元。翌年，生意腾飞，业务扩张，销售额增长至67 000美元，并聘得12名餐饮顾问。1984年当公司收入达到50万美元时，多莉丝发觉在家中经营业务及在地库存放货物开始变得不便，遂决定将娇贵厨师搬到面积达2 500平方英尺的办公室。

1986年，公司营业额已达到100万美元。多莉丝意识到，库存和分销都需要专门人才去管理，所以便邀请丈夫杰伊加入协助经营，将业务推向了更高峰。1990年底，公司年收入增长至1 000万美元，聘有700名餐饮顾问，在全美推广娇贵厨师产品。大约10年后，在2001年，公司的业务扩展至海外，包括加拿大、英国及德国，年销售额达至7.4亿美元，全球共有1 100名企业员工及67 000名餐饮顾问。

2002年，娇贵厨师被售予伯克希尔·哈撒韦。今天，娇贵的顾客超过1 200万。除了把公司产品推销到每个家庭的餐桌上，集团更希望协助解决社会上的三大问题：饥饿、家庭纠纷、癌症。自1991年起，公司通过名为"集合爱心"的慈善活动协助缓解美国的饥饿问题。"娇贵厨师和谐家庭运动"则协助了解和解决很多现代家庭正面对的问题和挑战。此外，公司亦与美国防癌协会（American Cancer Society）紧密合作，联合对抗乳癌。

BEHIND THE BERKSHIRE HATHAWAY CURTAIN

第八章

与戴维·索科尔追求卓越——中美能源控股公司

亚里士多德

只要我们不断努力奋斗，那么成功便不是一种行为，而是一种习惯。

坚持投资基本原则

当中美能源控股公司（MidAmerican Energy Holdings Company）不断遭受证券分析师批评，指责管理层过分看重长线利益，建议董事会主席戴维·索科尔（David Sokol）多采纳短线策略，仿效同业能源业巨子安然每月达成两至三宗买卖时，戴维不但无意放弃原则，追随投资市场的短炒气氛，更出人意外地于1999年决定把公司私有化。

戴维坦言中美每年只做一至两宗商业交易，因为公司讲求的是价值投资。戴维为公司辩护道："我们是一家大型企业，每季都保持很好的实际赢利，我们着眼于控制公司的风险。虽然我们的股价当时稳步上升，但相较于其他同业的股价呈倍数增长，我们的确在市场上大幅落后，所以分析师都在批评我们。"

但种种指责并未令戴维退缩，他毅然作出私有化的决定。他说："我召开了特别董事会，小心翼翼地向董事会分析私有化的可能性，以及交代提出这项动议的原因。在会上，我们提出杠杆收购计划，让管理层以发债形式来接管公司，但无奈这一方案会导致公司分裂，并伤害员工。最后，我致电向大股东兼董事小沃尔特 · 斯科特（Walter Scott, Jr.）请教意见，恰巧当时他在加州与巴菲特一起，所以他便问巴菲特是否有兴趣收购中美能源。"

一星期后，戴维、斯科特及巴菲特面谈了大约一小时后，便达成买卖协议。1999年10月25日，巴菲特宣布以每股35.05美元的价格收购中美能源控股公司，估值约为20亿美元。回顾往事，戴维认为："将中美能源售予伯克希尔·哈撒韦，可以说是我事业上所作的最正确的决定。与奥马哈市的两位重要人物——斯科特及巴菲特做交易，让我学到了他们营商的美德。"

说起巴菲特，戴维有此评价："他对商业社会的认知面非常宽，包括不同公司的运作，涉猎不同的行业。多数时候，他看似对某些议题不甚理解，因为他没有主动参与其中，但事实上，他却知道得很多，因为他阅读过很多文章，也能够将调查及研究报告内的资料融会贯通，然后据此作出理智的决策。"

惺惺相惜，戴维的坚定，同样获得了巴菲特的肯定。巴菲特在一份报告书中指出："这次中美能源控股公司的投

戴维（左）及中美能源的智囊团：小沃尔特·斯科特、格雷格·亚伯及沃伦·巴菲特

> 我学到了一个人不应将个人情绪带到商业决定中，因为后者必须以事实、数据和形势作依据。

资，让我们吸纳了两位新星，那就是小沃尔特 · 斯科特和戴维 · 索科尔了。”

在千禧年过后，当科技网络股及安然能源暴跌，而全球多家公司被发现伪造财务报表，以虚假账目蒙骗投资者时，华尔街分析师才恍然大悟，了解到戴维的优点所在——他能够在混乱中保持头脑冷静，没有作出任何愚昧的投资决定。

时光飞逝，戴维与巴菲特不知不觉已共事了超过10年。从巴菲特身上学习让他变得比从前更加自律。他说：“我学到了一个人不应将个人情绪带到商业决定中，因为后者必须以事实、数据和形势作依据。你可以表现出情绪化，但在运作一盘生意时，你绝不应把个人情绪带入商业决定中。”

其实戴维的自律精神，早在年少时就从不同名师身上习得并培养起来。在奥马哈办公室里，戴维分享了他的人生故事。

自我增值的动力

戴维于1956年出生于美国中西部，他是家里的老幺，与5个哥哥和姐姐在一个中下阶层的家庭中长大。他的父母是美国梦的典型追逐者，相信美国是一块自由和充满机会的土地，所以他们教导孩子努力奋斗，为自己创造未来。

戴维的父亲特德是一个正直的农夫，母亲玛莉拉是一个凡事以家庭为先的家庭主妇。戴维11岁时，他的母亲患上了癌症，于是父亲转职到食品杂货店当店铺经理，以便有更多时间照顾患病的妻子。幸运的是，玛莉拉不但战胜了病魔，恢复了健康，而且活到耆耄之年。

戴维感谢父母说："我的父母永远在我身边支持我，但他们从不操控我的人生。他们希望我可以依照自己的兴趣发展，所以对我只有很简单的期望，那就是希望我得到良好的教育，以及活得比他们出色。”

少年时代的戴维很喜欢建造东西，当父母给他木材、金属、螺丝钉等建筑材料时，他总会花数天时间制作起重机、桥梁、摩天大楼等玩意儿。他说：“可能是我的父亲间接培养了我在建造及机械业的兴趣，我决定在大学时选修工程学。”

尽管戴维的父母常常鼓励孩子去追寻梦想，但他们绝不会主动给予帮助，除非孩子证明他们努力尝试过。戴维记得小时候的一次经历，那就是当他构想打造一驾马车时，父亲只把方法和过程告诉了他，却没有提供任何协助。戴维默默耕耘却未能成功，起初他感到很苦恼，但不久后，他才发觉原来父亲一直在教导他采取主动的重要性。

戴维说：“努力尝试是学习的一大重要元素！当父母知道我在真正投入地做自己想做的事时，他们就会给予帮助，希望我能学习如何去为自己作规划，从而解决自己的问题。”

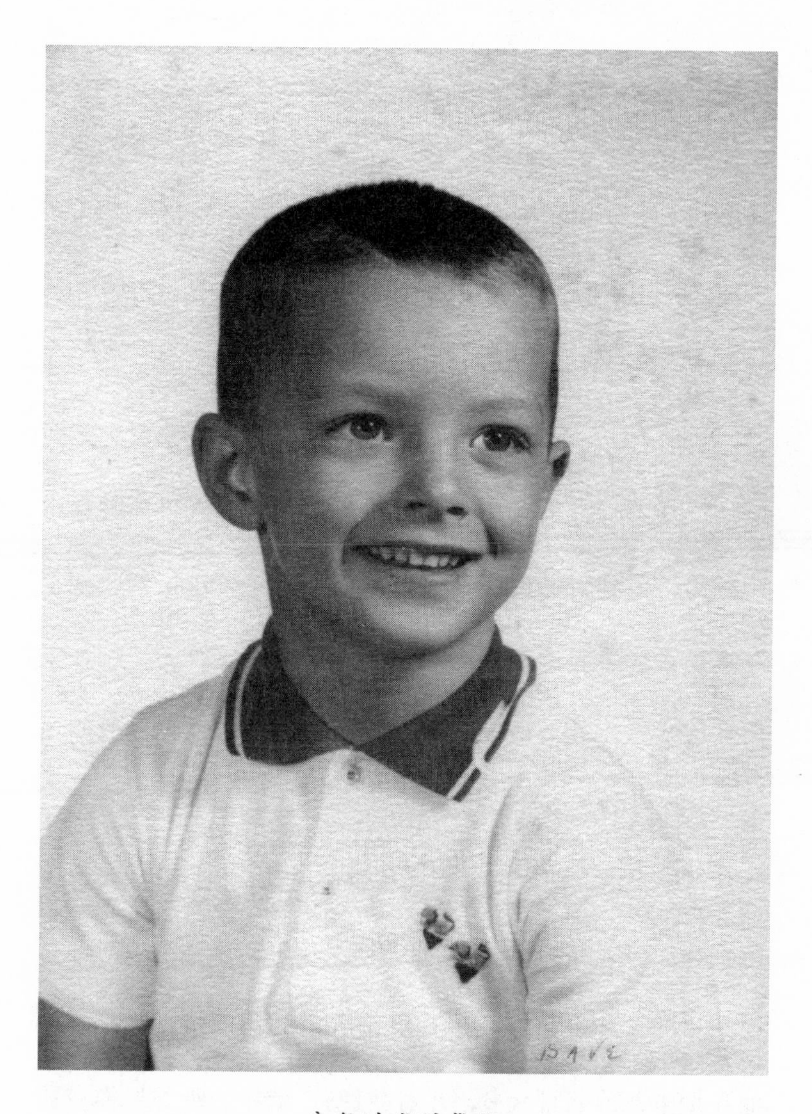

童年时代的戴维

已经是为人父和祖父的戴维，发觉现今很多父母都会为孩子计划一切事情，将过多注意力集中在为孩子安排活动上，结果却令孩子丧失了主动和自律能力。

戴维承认，年轻时的他有点儿好动，上学之余就忙于做运动，且不时跑去做兼职，直至母亲生病，他想为家庭出一分力，便到附近地区帮忙剪草、捆干草、送报纸，甚至在多层式住宅大厦内当维修小工来赚取一点收入，贴补家用。这些工作教会他人际相处及沟通的技巧，也让他明白了自我提升的重要性。

戴维表示，他原本并不在意学业成绩，但读高中时，他得到物理科老师的当头棒喝："斯洛克姆博士是一位对评分很严格的老师。虽然我一直觉得自己的物理学得很好，但他在期末却给我评为B，并对我说：'戴维，听好！你应该为自己只取得B而惭愧，你是班上最优秀的孩子，但却只考得B。'"

斯洛克姆博士告诉戴维，假如他满足于在人生各领域上拿B，那就表示他并不想将自己的才干充分发挥出来。"我不明白为什么这两分钟的对话竟如此深刻地触动了我，而那一刻也成为我学业上的转折点。从此，我变得对自己更严厉，要求更高，不再介意别人如何看待我，只在乎自己如何看待自己。"

"顾客至上"的承诺

高中毕业以后，戴维进入内布拉斯加大学修读土木工程，课余在奥马哈市的"贝克氏"（Baker's）杂货连锁店做兼职来挣学费，并由最初的文员，被擢升为夜班店铺经理。

在杂货店工作期间，他学习了基本的市场学、仓储学及客户关系学，而他更感谢店主阿贝 · 贝克（Abe Baker）为他上了非常重要的一课经营学。阿贝的经营口号是“顾客永远是对的”。在戴维担任店铺经理期间，一位女士经常拿着一些昂贵的烤肉回到店内，声称烤肉变了质，要求退款。同样的事件屡次发生后，戴维发现原来她一直在诈骗，因此有一天他坚决拒绝退款。

戴维说：“我知道我没有做错，但阿贝对我说，我们必须尊重公司贯彻的‘顾客永远是对的’这一口号。事实上，阿贝非常清楚那位女士在说谎，但他同时考虑到其他顾客并不了解个中实情，难免会误以为公司在破坏对口号的承诺。”

那天，戴维意识到，一家公司的座右铭并非单纯只是一句口号。“我明白了从宏观角度看事情的重要性。我知道那位女士在欺骗我们，但我只是看到事情的其中一面。虽然

年轻时戴维喜爱运动

在判断对与错的这个问题上我是做对了，但我拒绝退款的行为却可能对公司形象造成伤害。”

全力以赴

戴维在大学低年级时就与佩姬结了婚，并很快生下两个孩子：凯利和小戴维。毕业后，他离开了杂货店，进入亨宁松－德拉姆－理查森工程顾问公司（Henningson, Durham, and Richardson, HDR）当结构工程师。

他承认自己最初时在专业上缺乏自信，总觉得自己的智慧及不上其他同事，所以必须要以别人的双倍时间去完成同一件事，这使他常常觉得自己是一个失败者。他解释说：“在亨宁松工作，我非常自律和专注于工作，因为我要照顾妻子和孩子的生活，所以我要确保自己在裁员名单中排在最后。一旦我碰上机会，我便会付出110分的努力。

不久，戴维发觉自己比其他同事进步得更快。他很清楚自己的职责，客户也很欣赏他的表现。可是，他渐渐厌倦了不断重复相同的工作，毕竟，任何形式的建筑结构都是很近似的，不管那是一家医院、电力厂，还是监狱。

在亨宁松工作一年后，他向公司的其中一位合伙人查尔斯·德拉姆（Charles Durham）诉说自己的抱负，希望可以在工程学的领域更上一层楼，更广泛地运用自己的经验和知识，于是德拉姆便推荐戴维到公司新成立的独立工程分析部工作。

戴维说出他当时的职责："在新部门里，我主要与商业银行一起工作，为他们分析是否应向不同行业的建造工程批出贷款。我运用自己在工程学的专业知识，为他们评估有关技术、环境及建筑等方面的风险。"

新的工作岗位给予20多岁的戴维一个难能可贵的机会，让他接触到造价数以十亿美元计的工程项目。作为商业银行的代表，他需要从一位银行家的角度去衡量各项交易的利弊，这驱使他学习了财务及法律等方面的知识，以提升自己的分析技巧。他知道，只有将这些学问与自己在工程上的专业知识相结合，才能准确分析各个大型建造计划的可行性。

在之后的两年间，戴维与不同银行合作，协助他们对不同行业的工程作贷款评估，其中包括航空、替代能源、饮品灌装，以至电力生产等。在这段期间，他迁居到纽约市，靠近花旗银行，为银行的好几项工程作了分析。他更用心地自学了银行的MBA课程，吸收了更多有关财务的知识。戴维说："为不同客户提供工程分析服务，令我有机会了解不同的商业模式，这的确有助于我日后的事业发展。"

赢取尊重

1983年，戴维遇到一个新机会。花旗银行的客户奥格登船务公司（Ogden Marine），致电问他是否有兴趣为他们的母公司奥格登公司（Ogden Corporation）创办一家新公司，专营垃圾能源项目。

其实奥格登邀请戴维的原因，是因为他在亨宁松时曾用大量时间来研究垃圾能源这一课题，所以对此有很高的认识。在进一步与奥格登讨论后，戴维决定接受这项新挑战。他清楚地知道这一行业的发展潜力，于是，奥格登工程公司（Ogden Projects, Inc.）便正式成立了。

只有27岁的戴维，在新公司需要领导一个12人的团队，这对他来说颇具挑战性。他解释当时的困难时这样说："我只是一个27岁的小伙子，却担任项目经理，而我要领导一

当一个人成功的时候，别人只爱说那份得来的成功，
是归于幸运或拥有良好的人事关系，或拥有特别的背景。
事实上，成功往往是由勤奋、自律及才干换来的。

些比我更资深、更有经验的管理人，这令其中的某些人感到不安。最后，我只好低着头，尽量克制自我，尽最大的努力工作，希望证明自己的领导能力。我没有用语言去说服他们，只是要求实事求是，保持团队精神，用心完成所有的工作。”

在紧接着的6年时间里，戴维带领奥格登工程公司发展成为一个市值10亿美元的公司，而他的小小团队亦扩展到超过千人的规模。奥格登企业的董事会主席拉尔夫·阿布隆（Ralph Ablon）喜见公司前景乐观，决定将它上市。1989年，奥格登工程公司在纽约证券交易所上市，32岁的戴维成为公司的首席执行官。

尽管这时戴维的事业前途看似一片光明，不过，他却忽略了一个事实，就是他的表现远远超越了集团其他部门的管理人，这无形中引发了内部斗争。虽然他得到阿布隆很

> 我们无法左右别人的思想，但却可以控制自己的行为，而这些行为可以经得起时间的考验，从而改变别人的思想和观念。

大程度的信任及支持，但各部门的冲突仍令戴维无法容忍，最后他在公司上市后一年便请辞。

回顾当时的情况，戴维发觉人们总是不能心服口服地承认他人的成功。当一个人成功的时候，别人只爱说那份得来的成功，是归于幸运或拥有良好的人事关系，或拥有特别的背景。这些人看不到别人的付出，只会为别人的成功找些外围的理由，而不实际地找寻真相。事实上，成功往往是由勤奋、自律及才干换来的。人言可畏，那些流言飞语都集中于负面的事情上，令戴维变得更低调，他知道，只有低头干自己应干的事，才是最有效的态度。

对于如何消除这些负面情绪，戴维说："父亲教导我，我们无法左右别人的思想，但却可以控制自己的行为，而这些行为可以经得起时间的考验，从而改变别人的思想和观念。我要证明，我是一个积极的聆听者，要让同事知道，

我要证明，我是一个积极的聆听者，要让同事知道，
我的每一个决定都考虑到他们的意见。

我的每一个决定都考虑到他们的意见。这是我唯一做得到的，很快事实便会向他们证明我是否做对了。其他赢取尊重的方法，大都流于表面化吧！”

商场上的友谊

失意于奥格登，可说是塞翁失马，焉知非福。戴维离职后不久的1990年10月，一位前业务伙伴邀请戴维与他一起探讨某些能源项目。这位生意伙伴就是全球建筑业先锋之一的彼得·基威特父子建筑公司（Peter Kiewit Sons’）的董事会主席兼首席执行官沃尔特·斯科特。

戴维这样说起两人的相识：“我在1984年1月创办奥格登工程公司时第一次遇到斯科特。当时我要在塔尔萨市兴建能源厂房，由于预算很紧张，我们必须找一家信誉卓著

的建筑承包商，才有机会让银行给予工程融资。当时他尚未认识我，但我知道基威特公司信誉可靠，所以就直接致电他们，要求跟他们的首席执行官对话。很幸运，我被接通了。”

斯科特对这项工程甚感兴趣，所以戴维便在第二天由纽约飞到奥马哈，跟斯科特会面。10天后，他们在第二次会议上确定了合作细则。

戴维说：“我坦白对斯科特说出我们资金短缺的事实，而工程又不得延误。斯科特表示，他不能确定可否准时完工，但他会尽最大努力尝试。最后，我们达成一个君子协定：若厂房可以在预算的价钱内建造完成，他会将余款的一半退还给我们。若工程超出预算的话，他就会负担不足的金额。”

戴维跟斯科特握手言定，并向对方口头承诺。很顺利地，工程在指定日期之前及预算费用内完工。斯科特亦按照承诺将余款一半退还给戴维，那一刻，戴维很清楚眼前的人是一位正直诚实的商家。此后，他俩又合作建造了另外11家工厂，成为了亲密的生意伙伴。

对戴维来说，斯科特是一个正直而重承诺的人。他称赞斯科特说："我对他说过好几次，他就好像是我的第二个父亲。他具备了全部我所信奉的商业美德：努力工作、信守诺言以及做事正直。这些传统的商业美德，在以利为先的今天，确实十分难得。若你与斯科特做生意的话，他的口头承诺比任何法律合约都更有力！"

斯科特最让戴维感动的是，尽管那时他只有20多岁，经验尚浅，但成就甚高的斯科特竟愿意坐下来聆听他说话，他很感谢这位良师给予的意见，也感谢他树立了仁慈及爱心的榜样。

戴维的肖像

1991年2月，戴维窥准了专营地热能源的加州能源公司正陷于财务困境，便与斯科特商议，决定通过彼得·基威特父子公司的投资部收购这家公司的股权，然后，戴维成为了加州能源的首席执行官，并将公司扭亏为盈。

总资产值原本只有大约4亿美元的加州能源，在戴维接管经营后，经过短短数年，至1998年时，已发展成总资产值超过100亿美元的能源巨擘。公司更于1999年易名为中美能源控股公司，反映出它为全美所提供能源的多样化。

戴维明白，中美能源的成功并不是他个人的功劳。假如没有良好的管理团队管理及协调不同的工程，公司就不可能如此迅速地发展。在此方面，戴维认为自己非常幸运，能与1992年加入中美能源的工作伙伴兼好朋友格雷格·亚伯紧密共事。

拥有会计背景的亚伯，凭敏锐的商业触觉，迅速晋升为生意与友谊之间一般都会有冲突，而我和亚伯能够成为好朋友的原因，是我们清楚划分了彼此的角色。

高级管理人。他曾在中美能源的不同部门担任总裁，更于2008年成为公司的总裁兼首席执行官。

谈到亚伯，戴维说："生意与友谊之间一般都会有冲突，而我和亚伯能够成为好朋友的原因，是我们清楚划分了彼此的角色。举例来说，我们十分享受一起滑雪的过程，但一旦回到工作岗位，我们就绝不懒散，亦不会因朋友关系而将要求降低。相反，我们对自己的要求变得更高，而不希望令对方失望。"

作为朋友，戴维与亚伯互相了解，彼此尊重。戴维认为，他们既是朋友又是工作伙伴的关系形成了一股无形的力量。"我们思考的方向一致，但常常寻求不同意见，所以身为好友及商业伙伴，我们希望为其他的管理人员树立良好形象，带领他们迈向新挑战！"

寻找自己的目标是很困难的，所以我每年都会为自己定下很清晰的目标，并定期检讨自己在实践过程中的表现。当我达到目标时，我也只会感到满意，但不满足。相反，一旦事情的发展与我的计划背道而驰，我便会作出适当调整，重新起步，再作尝试。

永不停止的追求

戴维很珍惜新进的人才。多年来，他一直向中美能源的高级管理团队教授管理及领导课程。这不但有助于强化公司的企业价值观，更可为公司发掘年轻人才，培养他们成为明日的领袖。

2007年，戴维将他的课程资料编辑成书，以便让更多管理人可以读到他的管理哲学。书名为《满意，但不满足》(*Pleased, But Not Satisfied*)。这书名是彼得 · 基威特常说的一句格言。戴维在从斯科特那儿听了这句座右铭后，便时常将它挂在嘴边。

说到什么是他满意但不满足的地方，戴维说："寻找自己的目标是很困难的，所以我每年都会为自己定下很清晰的目标，并定期检讨自己在实践过程中的表现。当我达到

> 如果有人说他具有20年经验，那可以简单地理解为他有一年经验，但重复了20次。资历只是一个侧面的量度，它不会将你带到更高层次，所以，更重要的是，每年为自己订立新目标，让你可以在自己的行业内年年获得新经验。

目标时，我也只会感到满意，但不满足。相反，一旦事情的发展与我的计划背道而驰，我便会作出适当调整，重新起步，再作尝试。”

“很多管理人在事业发展的道路上都会遇到停滞不前的时候，这都是因为他们没有给自己订立目标的策略蓝图，推动自我提升。如果有人说他具有20年经验，那可以简单地理解为他有一年经验，但重复了20次。资历只是一个侧面的量度，它不会将你带到更高层次，所以，更重要的是，每年为自己订立新目标，让你可以在自己的行业内年年获得新经验。”

能够实践目标的因素有很多，例如努力工作、坚持到底、充满决心，甚至是良好的运气。戴维说：“好运气的确是我事业成功的因素之一，但我相信，专心致志、努力不懈、乐意做别人不愿意做的事，都可以为你创造好运气。也许，好运气的确是我事业成功的因素之一，但我相信，专心致志、努力不懈、乐意做别人不愿意做的事，都可以为你创造好运气。

好运气就是当充分准备遇上适当时机吧！”

戴维是一名热情的橄榄球迷，曾梦想做职业运动员，但最终没有实现这一梦想。不过，观看橄榄球赛事却让他懂得了纪律的重要性。他说：“做生意和打橄榄球比赛一样，你被绊倒后要立刻爬起来再接再厉。你要屡败屡战，可能要摔倒十次才能得到一分，但这重要的一分却可能令你在比赛中胜出。如果你缺乏自律精神，不懂得在倒下之后重新站起来的话，你就永远无法取得制胜的一分了。”

的确，自律就是推动戴维进步的要素。他总结说：“在我的事业道路上，我一直努力工作和持续尝试，因为我知道，即使我会跌倒，我也要重新站立起来。”

中美能源控股公司

中美能源控股公司是一家全球能源服务供应商，凭借本身的网络，将生产的不同能源运输及分销给美国及英国超过700万的客户。

公司的历史可回溯至1971年。当时石油短缺的问题促使查尔斯·康迪（Charles Condy）创办了加州能源公司（California Energy Company, CalEnergy），在北美洲开发地热能源。20世纪70年代中期，石油危机非常严峻，美国国会为此在1978年通过一项能源政策法案，鼓励寻找再生能源及替代能源。加州能源公司业务因而逐渐步入兴旺，在国内赢得许多地热企划项目，并在1987年正式上市。

90年代时，加州能源决定重新规划公司在市场上的定位，积极寻找其他的能源资源，以配合不断增长的消费者需求。随着英国撤销对公用事业的管制规定，公司在1996年收购了北方电力（Northern Electric），向英国北部及威尔士超过150万用户供应煤气及电力。

1998年，加州能源以240亿美元收购中美能源公司，为美国中西部地区提供电力服务。收购交易完成后，加州能源将公司重组，在1999年3月易名为中美能源控股公司。1999年10月，伯克希尔·哈撒韦认购了中美能源的股份。

中美能源在戴维·索科尔的领导下，发展成为业界主要的发电厂。通过精心的并购及能源多元化的策略，目前公司可为用户提供不同燃料的能源，包括煤炭、天然气、石油、核电、风电、水电及生物能。

今天，中美能源在美国境内拥有数家与能源相关的子公司，包括太平洋电力公司（PacifiCorp）、中美能源公司（MidAmerican Energy）、加州能源公司（CalEnergy）及数家天然气管道公司，向西部及中西部地区客户提供电力服务。此外，英国CE电力公司（CE Electric）旗下的两家配电厂，服务的用户超过380万。

除了能源业务外，中美能源亦染指房地产经纪业——1998年在明尼苏达州创办的美国住宅服务公司（HomeServices of America, Inc.），主要为美国不同社区提供房地产经纪服务。短短数年间，这家公司已晋升为美国第二大住宅房地产经纪公司。到2009年，它已拥有21个著名品牌，在19个州聘有超过16 000名房地产专业人员。

虽然中美能源与旗下的子公司独立运作，但却分享着同一企业理念，那就是顾客为先。他们的企业宗旨是："我们承诺为顾客创造可靠和符合成本效益的长远能源方案，同时促进能源自给及环境保护。”

的确，中美能源一直忠于它的承诺，并因此而赢取了数个奖项：2008年，被美国权威市场调研机构鲍尔市场研究公司（J. D. Power and Associates）评为中西部顾客满意度第一位；接着成为全球四家获得普氏能源奖项（Platts Global Energy Award）的“卓越大奖”得奖公司之一。普氏奖项在能源工业界相当于好莱坞的奥斯卡金像奖，是从超过30个国家的200多个提名中选举出来，这个荣誉说明了中美能源在市场的领导地位。

BEHIND THE BERKSHIRE HATHAWAY CURTAIN

第九章

向沃尔特·斯科特学习适应能力
——中美能源控股公司

达尔文

物竞天择，适者生存。

重拾童年的梦想

身兼第三级通信有限公司（Level 3 Communications Inc.）的董事会主席、彼得·基威特父子建筑公司董事及荣誉主席，以及维蒙特工业（Valmont Industries）董事的沃尔特·斯科特，与巴菲特是多年的好友。1988年，沃尔特被委任为伯克希尔·哈撒韦的独立董事，1999年，伯克希尔·哈撒韦亦进一步收购了以沃尔特为大股东的中美能源控股公司。

在位于内布拉斯加州的奥马哈市，沃尔特不但与巴菲特是紧密合作的伙伴，他们的办公室亦设置于同一座商业大楼内。沃尔特坐在会议室，俯瞰着奥马哈市，细细道出了他的美国梦及对慈善事业的热忱，他那种处变不惊地面对人生挑战的态度很值得我们学习。

1931年出生于奥马哈市的沃尔特，在成长期间，常常与“琼氏街头党”（Jones Street Gang）四处闲荡。这其实就是三五成群的小孩子在街上闲逛、踢空罐，或玩抢旗游戏。《布法罗新闻》的发行人斯坦福·利普西是沃尔特儿时的邻居，而巴菲特住在城镇的另一边，直至数年后他们才认识。

在美国大萧条时期，失业率超过20%，沃尔特的父亲老沃尔特·斯科特（Walter Scott Sr.）有幸能保住他在彼得·基威特父子建筑公司的总工程师一职。沃尔特回忆说：“我的家庭可以算是比较幸运。不过，由于社会经济衰退，建筑工程不足，所以公司老板彼得·基威特没有固定工程收入，而我父亲也是一样。直至政府推出新政重建国内经济秩序，基建工程增加，父亲的工作量和收入才开始增加，而我们的生活也变得稳定下来。”

沃尔特在年少时，目光经常被周边的基建设施所吸引。在20世纪30~40年代，他常随父亲到基威特公司的建筑土地，观察和研究建造工程的施工方法。这让沃尔特体会到教育的重要，当他看到大部分建筑工人需要出卖劳力以换取生计时，他便知道进入大学是他必须考虑的事情。暑假时，他到农场及牧场做兼职，也曾在基威特的建筑工地作测量，这些劳动体验也让他加深了教育很重要的认识。

一次，沃尔特在奥格登牧场（Oregon Ranch）当暑期工。因为他很享受这段日子，所以他打算修读牧场管理学。沃

年轻时的沃尔特

尔特承认："年轻时，我的想法颇为天真和简单。我希望多学点有关牧场运作的东西，也认为农业能助我打开更多机会之门，所以我便追随一位家族朋友的步伐，选择了科罗拉多农工大学，主修牧场管理学。"

不论这是命运还是幸运，沃尔特在这位家族朋友的劝诱下，决定放弃牧场管理，改为修读难度更高的工程学。那位朋友跟他分析，工程学更能训练一个人的逻辑思维能力，扩展人生机遇，这一切将令事业发展和转变更具弹性。听罢，沃尔特深表赞同，欣然接受了朋友的忠告，放弃原先的决定，改为修读土木工程学，重拾小时候对基础建设的痴迷。

磨炼适应能力

大学毕业后，沃尔特发觉他具备的技能确实可以让他在多方面有所发展，因此他的首要目标是找一份工作，好让他在学以致用的同时，也有机会提升经营的技巧。结果，父亲的雇主彼得·基威特父子的建筑公司，正切合他的目标。

于是，22岁的沃尔特在1953年迁回奥马哈市，加入基威特担任工程师。沃尔特学习和进步得很快，过程没有遇到太多麻烦。他的第一份工作是负责建筑及监管建立美洲大陆金属罐公司（Continental Can）的生产厂。

1954年，沃尔特被美国空军部队征召入伍，随后两年于佛罗里达州担任空军设施指挥官，负责为军队审查道路的建设工程。尽管服兵役的经验既平淡又没有重大意义，但这段期间却让他有机会作深入思考，为自己的人生制定更清晰的目标。

他表示：“这次经验教给我一个道理：要成功，就要有勇气作出改变！我注意到，很多美国人被经济大萧条影响甚深，失去了对生命的热忱，甚至无法适应世界环境的改变。我真不希望自己跟他们一样，唯一的工作目标，就是为政府工作，每月赚取固定薪金！”

沃尔特说，如果自己在空军部队逗留太长时间的话，也会丧失动力。幸好，在重新加入基威特公司后，他很快便重获商业触觉，不久后更被指派负责一些重要的建造项目。首先，他参与了加州纳帕县的蒙蒂赛洛水坝工程。接着，他被派到纽约担任项目工程师，管理圣劳伦斯海道的河床挖掘工作。一年后，返回基威特公司的克利夫兰办事处，负责计算公路工程的建造成本。

其实基威特公司在20世纪50年代已发展得颇具规模，工程遍及整个美国。当高级管理人需要在新项目上增添人手时，他们经常调派不同人士到美国各州出差。回顾当年对我来说，人生不是一个终点，而是一段旅程。在旅程阶段中，我以新的技能装备自己，而最重要的是，我在每一站都能遵守自己的承诺，给予我的家人更好的生活。

公司给予沃尔特四处出差的机会，他坦承："年轻的我不晓得问为什么公司选中了我。只要他们给我新机会，我便二话不说地接受，然后面对新挑战，努力做好分内事！"

沃尔特回想起有一次，公司临时要求他由加州搬到纽约出任新职位，他只有4天的准备时间，要带着妻子和小孩由西海岸搬至东海岸。虽然这一安排当时令沃尔特感到很沮丧，但他却渐渐培养出在短期之内适应新事物的能力。

在1961年踏入30岁的沃尔特，结婚差不多已有10年了，并育有三名子女。虽然初时妻子对经常搬迁感到不安，但沃尔特承诺她，每一次搬迁都会为他们的生活带来改善。果然，1959年，他被擢升为区域工程师，然后在1962年，他被晋升为区域经理。当沃尔特33岁的时候，他已被任命为公司副总裁，然后被调回位于奥马哈的基威特总部，与公司的最高管理层一起工作。

我们的公司并不需要变得最大，变得最好才是最重要的！

“对我来说，人生不是一个终点，而是一段旅程。在旅程阶段中，我以新的技能装备自己，而最重要的是，我在每一站都能遵守自己的承诺，给予我的家人更好的生活。”

适者生存之道

在人生的旅途上，沃尔特不单获得大量的工作经验，他更从良师彼得·基威特身上学到宝贵的人生哲理。他怀念基威特时说：“彼得很关心我，常常指导我做事。他很了解建筑行业的精神，知道如何管理这门生意。很多人都有伟大的业务构思，却因欠缺法律、财务等方面的商业技巧而无法实行构想，但彼得却拥有这些商业智慧，加上后天的努力，他最终成为一位成功的企业家。”

在处身良好情势时，一个人比较容易表现得正直，而当情势转差时，若他仍能够保持廉正的美德，那就很值得别人尊敬了。

的确，基威特有他的独特方法来发掘有才干的人，并乐意用毕生的经验教导后辈，委派下属监督一些小型工程，借此考验他们的工作能力。若他们表现理想，基威特便会指派他们负责更重要的工作，并以公司股权奖励这些具有才干的员工，使他们安心为公司服务。此外，基威特更给予员工很大的自主权，并创造了一个和谐而具竞争力的工作环境，使那些出色而充满热忱的员工有发挥机会，渐渐晋升至管理级别。

“彼得长期以来一直在指导我，教给我很多简单的人生道理。”沃尔特永远不会忘记基威特那句简单而有力的话：“我们的公司并不需要变得最大，变得最好才是最重要的！”

基威特对人的本质非常重视，这也影响了沃尔特对管理人的看法。他相信，诚信正直和勤奋是管理人必备的重要素质：“正直就是在顺境、逆境时，都要诚实及坦白。在处身

沃尔特与同事在讨论一项基建工程

努力不懈亦是成功的重要基础，而自律是决定成败的关键。成功的人都是勤奋而有自觉性的。一个被动的人纵然具有多方面的才能，也不会做得出色。

良好情势时，一个人比较容易表现得正直，而当情势转差时，若他仍能够保持廉正的美德，那就很值得别人尊敬了。”

努力不懈亦是成功的重要基础，而自律是决定成败的关键。成功的人都是勤奋而有自觉性的。一个被动的人纵然具有多方面的才能，也不会做得出色。

作出改变的勇气

当沃尔特在1964年升任基威特公司的副总裁时，他被指派监督密西西比河东部的所有建筑工程项目。翌年，他被任命为执行副总裁，被指派监管加拿大东部省份的工程，并在数年间为公司赢得当地很多利润丰厚的建筑合约。

1979年，担任公司总裁10年之久的鲍勃·威尔逊（Bob Wilson）因心脏健康问题在9月向公司请辞。同年11月，基威特逝世。当年只有48岁的沃尔特临危受命出任公司董事会主席、总裁兼首席执行官。

"其实，早前彼得曾经好几次要求我担任领导公司之职，但我一一婉拒。虽然我自信有此能力，亦已作好一切准备，但我们是不同的管理人，管理作风有别，我可能用别的管理手法办事。彼得尊重我的坦白，更信任我可以带领公司更上一层楼。"

在沃尔特面对事业上的种种挑战时，他同时亦要承受个人的伤痛，那就是妻子卡罗琳因癌症去世。想起离世的太太，沃尔特感慨良多："那是我一生中最痛苦的时刻。经历了事业及人生路上的种种困难，现在无论遇到任何难题，我都有能力应付。"

在艰难的日子里，沃尔特坚守岗位，执掌基威特之后，他马上取得数个大型工程合约，包括建造位于巴尔的摩港的海底隧道，以及华盛顿公用电力供应系统（Washington Public Power Supply System）核电厂的机械工程项目。

及至1980年，建筑业气候出现变化。当时银行利率高企，很多公司都倾向于推迟基建投资。了解到适者生存的道理，沃尔特灵活变通地去找其他的投资出路，为基威特另寻商机。1984年，基威特收购了美洲大陆企业集团（Continental Group），并再接再厉于1988年通过MFS通信公司（MFS Communications）进军电信业务。最后在1991年，公司获得了地热能源开发商加州能源公司的控制权。

为了更好地管理新投资项目，沃尔特将公司重组为两个主要部门，分别负责公司的固有建造及采矿工程，以及非核心投资业务。

沃尔特解释说："在建筑业务上，我们赚取的利润多于我们所需的开支，换句话说，我们拥有非常充裕的资金流，我想，我的工作性质教会我接受新机会、成为一个具有弹性的商人，并在需要时愿意作出调整。

而作为公司管理人，我除了要寻求有利可图的工程合约外，也要理智地运用公司的资金，为股东们争取最大的回报。”

沃尔特的投资策略取得重大成功。1980年末，建造工程业再次蓬勃起来，所以基威特投资集团决定开始出售他们的投资项目。1990年初，这些投资收益为公司总赢利贡献了2/3，这证明了沃尔特投资眼光的独到之处。

回顾在彼得基威特父子公司的事业，沃尔特强调自己有很强的适应能力，这一优势对他多年的事业发展，尤其在建造业务及投资路上都很有帮助。

他说：“在建筑业，每一个项目都是一门独立生意及一项新挑战。首先，你要对新工程建立架构的概念，接着作成本预算及估计它的利润潜力，然后找一个适当的团队去负责这项工程，让他们去解决所有问题。其实，没有两项工程是完全相同的。比如，你要在两个不同的地方修筑一条道路，但你仍然是面对两项独立的工作。我想，我的工作性质教会我接受新机会、成为一个具有弹性的商人，并在需要时愿意作出调整。”

与伯克希尔·哈撒韦结缘

除了在经营上采取开放态度外，沃尔特也常常给予有才干的新人发挥的机会。1980年初，他遇到一位年轻人，日后更与他一起合作共事，这位令他感到骄傲的年轻人，就是现任中美能源控股公司董事会主席戴维·索科尔了。

他们俩于1984年第一次碰面，当时索科尔是奥格登工程公司的首席执行官，已将一项垃圾能源厂房的建造工程委托给基威特公司。在合作的过程中，沃尔特与索科尔变得熟稔，并建立了友谊。到了1990年，当索科尔离任奥格登公司后，沃尔特便邀请他为基威特提供一些有关能源投资的意见。

半年后，索科尔锁定了地热能源开发商加州能源公司，便建议基威特进行收购，成为最大股东。顺理成章，索科尔亦在1991年成为加州能源的首席执行官。过了数年后，基威特公司决定售出加州能源公司的股份，而沃尔特却保存着属于他个人的股权，更成为了该公司的最大股东。到1990年末，加州能源公司改名为现今的中美能源控股公司。

1999年，索科尔决定将中美能源私有化，因为他认为公司的商业模式不太受华尔街投资者欢迎，他相信私有化有助于他将更多精力集中于能源工程上，而不是照顾股市分析师的期盼。

沃尔特回忆说：“一个星期五，索科尔致电告诉我他私有化的想法。正好我与巴菲特在加州，我便将整件事情转告在今天的世界里，很多人都高估自己，总觉得万事可成，但在花了大量时间后，才发觉原来自己什么事都做不成，结果光阴虚度。

给他。一星期后，巴菲特回复我说：'我们把伯克希尔·哈撒韦买下来吧！'"

伯克希尔·哈撒韦购入了中美能源76%的股东权益后，在1999年董事会主席致股东的信函中赞扬沃尔特说："沃尔特用他的钱支持他的信念，在收购交易结算时，他和他的家人以现金购入了更多中美能源的股票，将他们对中美的总投资增加至2.8亿美元。沃尔特将会是公司的控权股东，而我亦想不到有更好的人选去担任这个职位。"

谈到巴菲特，沃尔特说："他有独特的天赋，阅读及记忆能力十分惊人。他能随时随地说起不同的数据，而他更独特的地方，在于能将这些数据整合，经过个人分析，最后得出明智的结论。他不单将这种能力运用于做生意之上，也发挥在他人生的其他方面。虽然巴菲特的标准并不适用于所有人，但了解他的想法和做法却十分重要。例如，他的"竞争优势圈"（circle of competence）概念强调，一个人必须专注于自己的擅长之处。在今天的世界里，很多人都高估自己，总觉得万事可成，但在花了大量时间后，才发觉原来自己什么事都做不成，结果光阴虚度。巴菲特在人生的早期已经划定了自己的竞争优势圈，而且一直集中在这个范围内发展。"

回馈社会

沃尔特在事业上努力之余亦不忘为社会作出贡献，他与第二任妻子苏珊均抱有强烈的信念，要把财富回馈给社会，为下一代建设更美好的将来。沃尔特被《福布斯》杂志选为全球最富有的人物之一，但他绝不吝啬，他通过苏珊与沃尔特·斯科特基金（Suzanne and Walter Scott Foundation），向年轻人提供了无数极具意义的礼物及个人领袖课程，尤其将重点放在高等教育之上。

他们在内布拉斯加大学创设的彼得·基威特学院，还建设了一个数据库、创业园、学生宿舍等，并为工程学及信息科学系的同学提供了大量奖学金。

2009年，沃尔特获霍雷肖杰出美国人协会（Horatio Alger Association of Distinguished Americans）颁发的“诺曼·文森·皮尔奖”(Norman Vincent Peale Award)，这个奖项主要向那些对社会作出重要善举，以及在面对重大挑战时表现出勇气、不屈不挠的精神及正直的人物致敬。奖项由他的杰出学生戴维·索科尔负责颁发。

索科尔赞扬沃尔特说：“他不单是美国梦的代表人物，也为我们美国人及学者在慈善事业上树立了良好榜样。”

沃尔特有三个女儿、一个儿子。妻子苏珊与前夫育有两

晚年的沃尔特，最享受做慈善的一刻

当四周事物出现变化时，你必须跟随它们一起改变，并作出个人调整！年轻人，珍惜时间，保持身心健康，坚持学习，你们的成功指日可待！

个儿子，整个家庭共有17个5岁至超过30岁的孙儿。沃尔特开玩笑说，他不打算帮助年长的公民，因为他本身也是一位长者。他相信为年青一代提供良好教育，让他们明白道德的价值，对其将来成为良好公民的重要性。他经常以此教导子女和孙儿，更认为人生最大的财富就是健康，因为没有健康，任何事都做不成。所以，年轻人必须远离一切坏习惯，以保持活力。经历了人生的种种，沃尔特对年青一代有两个忠告："保持健康！接受良好教育！"

现已近80高龄的沃尔特，回顾自己走过的路感慨地说："人生十分微妙。一生中你会得到很多东西，但也可能瞬间失去。知识助你实践宏大的梦想，与此同时，你必须脚踏实地，切勿浪费光阴。当四周事物出现变化时，你必须跟随它们一起改变，并作出个人调整！年轻人，珍惜时间，保持身心健康，坚持学习，你们的成功指日可待！"

BEHIND THE BERKSHIRE HATHAWAY CURTAIN

第十章

巴菲特的商业智囊团

萨缪尔·约翰逊

习惯就如无形的锁链，初时它不易察觉，但当习惯已成自然，便难以挣脱。

热忱是成功的原动力

沃伦·巴菲特常常提醒人们及早追寻生命中的热忱。在撰写本书前，我认为热忱这一概念，是以行业为主导的。正如当我们思考自己喜爱做什么工作的时候，我们总会从行业出发，例如财务、医药、时装或工程等。在通过与本书访谈的伯克希尔·哈撒韦的领袖会面后，我意识到，热忱是可以从工作中发掘出来的。

例如，乔丹家具的巴里·塔特曼的热忱，是来自他为业务注入创意的元素。他认为，家具零售本身就不是一门对于伯克希尔·哈撒韦的每任管理者而言，热忱就是驱动他们成功的要素。热忱似乎是对伯克希尔·哈撒韦管理人最贴切的形容，因为他们都是经历磨炼，才取得今天的成就。

有趣的生意，但将娱乐寓于工作之上，在扩展公司规模时，能让他的思想脱离传统的框框，这些不但极具挑战性，更令他产生了对工作的热忱。

喜诗糖果的布拉德·金斯特则表示，他在逻辑分析的过程中找到最大乐趣。从顾问、保险、制服制造，到今天的糖果生产，他发觉自己的热忱并非由行业主导，而是在于他如何运用他的技能，将每一项业务变成一门更有效率及更有生产力的生意。

相反，《布法罗新闻》的斯坦福·利普西却热爱他的行业。他被报业深深吸引，而他的满足感来自将优质新闻带给读者，以及以新概念争取更多的广告客户，努力找寻新方向，开拓新市场。

对于伯克希尔·哈撒韦的每任管理者而言，热忱就是驱动他们成功的要素。热忱的德文是“Leidenschaft”，意思伯克希尔·哈撒韦的领袖明白，要做好一笔表现出色及信誉良好的生意，单纯努力是不够的，还必须开阔眼界，着眼于长线的业务发展计划。

是“经历痛苦，然后创新”。这似乎是对伯克希尔·哈撒韦管理人最贴切的形容，因为他们都是经历磨炼，才取得今天的成就。他们都是一群对工作极度专注，努力不懈地为企业作出改进的精英。

努力，就是这么简单

努力工作，似乎是陈腔滥调，但它的确是奠定一位成功领袖的要素。这就像一名技术精湛的网球手一样，对观众来说，他击出好球简直是易如反掌，但有谁看到他辛苦训练的过程呢？正如伯克希尔·哈撒韦的管理人，他们在成功以前，也曾付出漫长的时间来武装自我。

凯西·拜伦·塔马兹就是一个典型例子。在最初加入美国商业资讯时，她虚心学习，不断发问，寻求进步。她自一家公司的成功绝对不能单靠个人努力，所以，兰迪除了致力于计划公司的长线发展外，同时也要求各同事团结合作，为整体利益作贡献。

发性地接受不同工作，以求获得更多与行业相关的知识。对于新概念，她永远保持乐于接受的态度。凯西喜欢自己的工作，所以做得比别人好。虽然她的努力无法计量，但她对工作的奉献却感动了身边的每一人，与公司上下一同追求突破。

同样，戴维·索科尔能成为中美能源控股公司的领导人也并非偶然。由始至终，他都抱着积极的工作态度。这不是因为介意别人如何看待他才努力，而是他更在乎自己如何看待自己。戴维认为，前面总有令自己走得更好的路，所以他永不满足于现在的成就。

戴维承认，成功也许存在着幸运的因素，但更重要的是，一个人要持续向目标努力，并时刻保持自律。他相信，当“充分准备遇上适当时机”，好运气就会来临。戴维的成功，正如爱迪生的那句名言：“百分之一的灵感加上百分之九十九的努力！”

好的管理人员必须具备授权的能力，建立团队精神，与团队一起为公司创出佳绩。

小沃尔特·斯科特是戴维的良师益友。他认为，成功的管理者是由始至终都表现得勤奋和自觉主动的。他说："假如做事欠缺主动及自律，那么，纵使一个人具有多方面的才能，他也不会做得出色。"

具备远见能力

伯克希尔·哈撒韦的领袖明白，要做好一笔表现出色及信誉良好的生意，单纯努力是不够的，还必须开阔眼界，着眼于长线的业务发展计划。

真正的领袖永远不会追求短线利益或瞬间回报。正如凯西形容美国商业资讯时所说："我们是稳扎稳打的创造者！相信万丈高楼平地起这一道理。也许这个想法有点儿天真，但我们只求做正确的事情，这亦是令我能够在晚上睡得甜曾经有一位学生问巴菲特，成功要具备何种性格特点？巴菲特的回答是：“智慧、活力和正直。如果你欠缺正直，你就会被智慧和活力这两个优点拖垮！

美的方法。”

拥有自律精神令管理者专心工作，免受不利于公司健康发展的短线利益所牵引。艾克美砖材公司的丹尼斯·克劳兹在这方面做得十分出色。他强调，作为公司管理层人员，他的目标是要改善公司的运作，为下一届的领导层作好准备。他明白，他服务于公司的时间只不过短短的几十年，但一块艾克美砖却可以耐用一个世纪以上，因此，他绝不会为赚取短期回报而牺牲公司的长线价值。

贾斯汀品牌的兰迪·沃森也有相同的理念。他专注于建立贾斯汀的商誉，因为他深深了解，每一个成功品牌都需要百年建业，但稍有差池，便可一夜倾覆，所以他每一个决定都下得小心谨慎，以大局为重。

兰迪承认，一家公司的成功绝对不能单靠个人努力，所以，他除了致力于计划公司的长线发展外，同时也要求巴菲特的卓越成就不单在于他拥有的财富，更在于他能够时刻保持正直和公平。

各同事团结合作，为整体利益作贡献。因此，兰迪总结到，好的管理人员必须具备授权的能力，建立团队精神，与团队一起为公司创出佳绩。

正直的品格

对很多伯克希尔·哈撒韦的领袖来说，成功就是做正确的事，这包括在工作和生活两方面。曾经有一位学生问巴菲特，成功要具备何种性格特点？巴菲特的回答是：“智慧、活力和正直。如果你欠缺正直，你就会被智慧和活力这两个优点拖垮！”

本书里我访问的受访者都是正直的领袖。沃尔特·斯科特认为：“正直就是在顺境或逆境时，都要表现诚实及坦白。”当业务状况良好时，人们比较容易表现出正直，相反，当这些伯克希尔·哈撒韦的精英们踏足商业世界时，他们大都只有一个简单的目标，那就是成为一个有价值的人。他们知道，通过不断提升自己，努力不懈，终有所成。

当业务状况不佳时，若领袖能够保持廉洁正直的美德，那便更值得别人尊敬了。

巴里·塔特曼提到，他和兄长埃利奥特决定将乔丹家具售予巴菲特，就是被他的诚实和诚意所打动。巴里注意到，巴菲特的卓越成就不单在于他拥有的财富，更在于他能够时刻保持正直和公平。

对巴里来说，成功并非以金钱来衡量，而是要活出一个和谐的人生：安排时间与家人乐叙天伦、切实管理好业务、为慈善事业作出贡献，以及获得社会的广泛尊重。他甚至开玩笑说，也许出席葬礼人数的多寡，可以评价一个人一生成就的高低。一个真正成功的人，必会受到社区内邻居的欢迎。

娇贵厨师公司的玛拉·戈特沙尔克坚信，成功的诀窍是维持个人的稳定性，尽量保持简单就是美的原则。作为一位职业母亲，她知道，一位成功的女商人必须对她的事业成功的诀窍是维持个人的稳定性，尽量保持简单就是美的原则。

和家庭都充满热忱，做到两者平衡，人生就有美好的收成。

玛拉强调，找到一份自己喜爱的工作十分重要。她说：“工作并非你人生的全部，但你的人生却包含着工作！”

做一个有价值的人

价值观的概念深深植入于伯克希尔·哈撒韦的企业文化。其实建立价值观并非难事。当这些伯克希尔·哈撒韦的精英们踏足商业世界时，他们大都只有一个简单的目标，那就是成为一个有价值的人。他们知道，通过不断提升自己，努力不懈，终有所成。

丹尼斯·克劳兹最初加入艾克美时，他的目标十分单纯，就是成为公司的一分子，与公司一起进步成长。他很清楚，没有人可以一步登天，他劝勉年轻人要对雇主保持只要管理人拥有宏观思维，他就有机会成功；换句话说，能以公司大部分股东（这包括公司持有人、顾客、员工及社会大众）的利益为依归，价值就会自然产生。

忠诚，勤恳工作，力求上游，在工作中证明自己是一个有价值的员工，最终便会有被发掘或提拔的一天。

斯坦福·利普西在事业发展初年，从没想过自己会有今天的成就。事实上，他在大学毕业时，对人生仍然没有确定的方向，而是直至差不多30岁时，才对报业产生热忱。

斯坦福说，他在《布法罗新闻》所获得的成功感，就是推动他前进的力量。

担任发行人之后，他想到单纯为公司增值还不够，价值链更应包括为大众服务，作出准确无误和息息相关的新闻报道，以及举办慈善活动，培养良好的企业公民，从而改善社区。

而喜诗糖果的布拉德·金斯特则相信，只要管理人拥有宏观思维，他就有机会成功；换句话说，能以公司大部分股东（这包括公司持有人、顾客、员工及社会大众）的利益为依归，价值就会自然产生。

> 我真正体会到成功会以不同形式呈现。世上没有成功的圣经，要实践梦想，就要有一份坚持不懈的精神，以及一个不断燃烧的希望。

继续奋斗不止

结束了所有会面及访问后，我意识到这本书能够面世的原因，在于当初我制定了清晰的目标，然后鼓足了勇气，并不断尝试。现在，英文版与繁体中文版已经面世，而简体中文版亦即将付梓。我真正体会到成功会以不同形式呈现。世上没有成功的圣经，要实践梦想，就要有一份坚持不懈的精神，以及一个不断燃烧的希望。

当事情发展令人沮丧的时候，我们必须鼓足勇气，继续向前行。当你浅尝到成功的滋味时，便要懂得保持警觉，不要被胜利冲昏头脑，要做到胜不骄，败不馁。

唐 · 基奥（Don Keough）是伯克希尔 · 哈撒韦的董事之一，他在我撰写本书的过程中，友善地给了我很多宝贵意见。我仍记得，当我踏进他办公室的一刻，他迫不及待地说出了他成功的秘诀："我从一条小溪起步，接着游到小

我从一条小溪起步，接着游到小河，然后进入海湾，最后到达海洋。当四周的环境在不断改变时，我就只是不断向前游而已！

河，然后进入海湾，最后到达海洋。当四周的环境在不断改变时，我就只是不断向前游而已！”

唐的第一份工作是在帕克斯顿–加拉格尔杂货批发公司（Paxton and Gallagher），公司后来被斯旺森健康食品公司（Swanson Foods）收购，接着邓肯食品公司（Duncan Foods）收购了斯旺森，至1964年，邓肯食品又被可口可乐公司收购。对唐来说，每一次收购都是一项新挑战，因为他要重新建立自己在公司的信誉。虽然受到了挫折，但他每次都能拼命向前进步。最后，他成为了可口可乐公司的全球总裁。

唐衷心教导我们，成功的另一个重要因素是，让自己成为一个有趣的人。不过，在一个人可以变得有趣之前，他必须要凡事关心，凡事感兴趣。唐现年80多岁，拥有极为成功的事业，所以他为此书留下了一句结语：“假如我仍年轻，我会拼命工作，努力继续向前游！”